できる韓国語

#中・高校生の基本編

FOR STUDENTS

新大久保語学院
張河林　李志暎

ask

はじめに

　本書は韓国語や韓国文化に興味を持つ中学生や高校生のために誕生した教材です。中高生のみなさんからは「中高生でも楽しめるような学校生活をメインとしたテーマで学びたい」、「カラフルでかわいいデザインの教材がいい」、また先生方からは「ペアワークやグループワークができる教材が欲しい」、「学校のカリキュラムに合わせて1年間で文字の読み書きや初級の文型が学習できる分量がいい」という要望があり、これらの要望に応えられるよう工夫をしました。

　Part1では韓国の文字、ハングルの読み書きができるようになります。かわいい虎のキャラクター「トランイ」がみなさんの学習を手助けします。発音の音声をネット配信しているので、それを聞いてイラストを見ながらハングルの読み書きの練習をしましょう。習った文字を使ってできるペアワークやミニゲームもあるので活用してください。

　Part2では韓国語の初級文型を学び、日常生活の様々なシーンでの簡単な会話が韓国語でできるようになります。文型については、スマートフォンやパソコンで視聴できる解説動画を配信しています。それぞれの動画は短いので忙しい時や、ちょっとだけ勉強したい時でも気軽に視聴できます。文型の基本練習も、応用練習も、簡単な会話練習もたくさんできるので、韓国語を楽しみましょう。

　Part3では各課のメインとなる文型やテーマを扱い、ゲーム感覚で楽しめるアクティビティを紹介しています。一緒に韓国語を勉強する友達たちと韓国語を使って楽しく交流しましょう。

　新しい言語へのチャレンジはとても新鮮でワクワクする経験だと思います。母語以外の言語が話せるようになると「なんでもできる！」という自信も付くと思います。みなさんはその経験と自信を原動力に、また新しい世界の扉を開くことでしょう。みなさんにとってこの教材がその扉のカギになることを心から願っています。

張河林・李志暎

Part3 ──────── 楽しい教室活動

まとめ

本冊の構成

本文

本文では、主に中学生、高校生によるさまざまなシーンでの会話を取り上げています。音声データは、1回目はゆっくりした語調で、2回目はより自然な語調で話されているので、聞き取りや会話練習に活用できます。

単語と表現

本文で使われている単語と表現をまとめてあります。難しい発音は［ ］の中に発音を示してあり、漢字語が日本語の漢字と異なる場合は〈 〉で表記を入れました。

文型

新しい文型をわかりやすく提示し、やさしく解説をしています。
★＜文型の解説映像付き＞
文型について、著者が動画で解説をする＜ワンポイントレッスン＞を配信しています。詳しくは次のページをご参照ください。

練習

習った文型を使って、基本的な練習ができます。
問題文で出てくる新出単語には、意味がすぐわかるように訳を付けてあります。

もう一歩

習った文型を使って、会話の練習をしたり、文章を読んでやり取りをしながら応用練習ができます。

活動

Part3では各課で習った内容に基づき、学習者が中心になってゲーム感覚で楽しく会話などの練習ができるようにしました。一つの課が終わったら教室活動として活用してください。

まとめ

本文の日本語訳や、助詞と文型がまとめてあります。本書で習ったことが復習できます。また、課ごとに単語と表現をリストアップしてありますので、学習に活用できます。

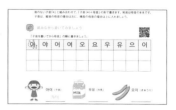

音声データ

ページの中にQRコードが表示されている箇所には音声データがあります。QRコードを読み取ると音声を聴くことができます。また下記のwebサイトからも聴くことができます。

https://www.shin-gogaku.com/audio/mh/

解答

各課の練習問題の解答を、下記のwebサイトからダウンロードすることができますので、ご参照ください。

https://www.shin-gogaku.com/kaitou.pdf

★文型解説の動画<ワンポイントレッスン>をパソコンやスマートフォンで見ることができます。

①新大久保語学院のwebページ(www.shin-gogaku.com)にアクセスします。

②ページにある「One Point Lesson動画はこちら」を選択します。

③画面左の「One Point Lesson」からテキストを選択します。

　文型一覧から見たい項目を選択します。

左のQRコードからも文型一覧ページにアクセスできます。

わかりやすい解説映像です。

최윤호 (高1)　チェ・ユンホ

　サッカー部のエース。サッカーは、するのも見るのも好き。勉強も頑張ろうと予備校にも通っている。ゲーム好きでゲームユーチューバーの悠人とは仲がいい。イケメンの兄を持ったせいで周りからの質問が絶えない。高校生活を目いっぱい楽しみたい。

이수민 (高2)　イ・スミン

　SNSとコスメ好きの高校生。ユーチューバーにも興味があり、同じ高校に通っているユンホに悠人を紹介してもらった。でもまだ動画に映るのはちょっと恥ずかしい。ユンホとはアイドルやドラマの話で盛り上がっている。

오사키 리사 (中3)　大崎りさ

　ユンホの近所に住んでいる中学生。ユンホのことをちょっと格好いいと思っている。親が韓国ドラマが大好きで自然と韓国文化に興味を持つようになり、韓国語を学び始めた。修学旅行で初めて行った韓国が一番の思い出。将来は韓国語を使う仕事がしたい。

간자키 유토 (大学生)　神崎悠人

　大学生のゲームユーチューバー。最新ゲームのプレイや攻略法の動画を配信している。神プレイと面白いトークで人気ユーチューバーになっている。ユンホやスミンの影響で最近K-POPにハマっている。

토랑이 (年齢不詳)　トランイ

　親に、虎を意味する「トラ」と「호랑이 (ホランイ)」を混ぜた「トランイ」という名前を付けられたが、適当過ぎて格好いい名前が欲しいと常に思っている。人間になるのが夢で毎日お祈りしたところ、夢に神様が出てきて韓国語を習う学生達の役に立ったら人間にしてやると言われて毎日頑張っている。この本でも、みんなの学習を助けようと張り切っている。人間になったら学校の先生になりたい。特徴的なミント色の柄と愛嬌ある笑顔がチャーミングポイント。

Part1
ハングルを読みましょう

1 「ハングル」って何？

● 「ハングル」って何？

日本語の独自の文字が仮名であるように、「ハングル」は「韓国語独自の文字」のことを言います。なので「ハングルを話す」という表現は間違いです。これからみなさんが習うのは「韓国語」です。「韓国語が話せる」ように頑張りましょう。

● ハングルができたのは？

ハングルは、1443年に朝鮮王朝第4代目の国王「世宗（セジョン）」が作った文字です。それまでは、中国の漢字を使っていたので、民衆には難しくて読み書きができなかったんです。

> かわいそうな民衆たち。
> 訴えたいことがあっても
> 訴えることもできないのか……。
> 彼らのために文字を作ろう！

● 韓国語は学びやすい？

韓国語は日本語と似ているところが多いので、とても学びやすい言語です。もっとも似ているところは、

①語順が一緒！

私は	学校へ	行きます
저는	학교에	가요
（チョヌン	ハッキョへ	カヨ）

英語とは異なり、述語(動詞や形容詞)が文の最後に来るのは日本語と一緒です。さらに、「てにをは」が韓国語にもあるので、助詞の使い方に関してもわかりやすいでしょう。

❷ 似ている漢字音が多い！

次の漢字由来の単語を発音してみましょう。やはり、発音が似ていますね。

> 야구 (ヤグ) → 野球　　요리 (ヨリ) → 料理
>
> 도로 (トロ) → 道路　　가수 (カス) → 歌手

● ハングルはどのように組み合わされている？

ドラマなどでよく使われている「愛してるよ」という韓国語は、「サランへ」と言います。それを文字にすると次の３文字になります。

> 사　　　랑　　　해
> s a　　r a ng　　h e

「사 (sa)」は、「ㅅ」→「s」の音と、「ㅏ」→「a」の音が組み合わさっていますね。他の文字を見ても、一つの文字の中には子音 (r,ng,h) と母音 (a,e) が入っています。

このように、一つの文字の中には必ず「子音」と「母音」が入ります。

> ハングル ━━▶ 「子音＋母音」

つまり、ハングルの文字には、子音だけのものや母音だけのものは存在しません。必ず、

「子音＋母音」または「子音＋母音＋子音」

の組み合わせになります。

基本母音と合成母音

2-1 基本母音

日本語の母音には「a,i,u,e,o」がありますが、韓国語の母音の数は日本語より多いです。まず、基本となる母音 10 個を見てみましょう。

◎母音は棒の形

（縦棒と横棒を基本にして）　｜ 　一

（縦棒の左右に短い棒が一本ずつ、横棒の上下に一本ずつ）　ㅓ ㅏ ㅗ ㅜ

（縦棒の左右に短い棒が二本ずつ、横棒の上下に二本ずつ）　ㅕ ㅑ ㅛ ㅠ

これらを辞書順に並べ、ローマ字表記と発音のしかたを見てみましょう。

ㅏ ㅑ	ㅓ ㅕ	ㅗ ㅛ	ㅜ ㅠ	ㅡ ㅣ
a ya	eo yeo	o yo	u yu	eu i
（日本語と同じ）	（口を半開きにして）	（口を丸くして）	（唇を突き出して）	（口を横に引いて）
ア ヤ	オ ヨ	オ ヨ	ウ ユ	ウ イ

hint　短い棒が二つ付いている「ㅑ,ㅕ,ㅛ,ㅠ」は「y」行です。

書いてみましょう

①ᅡ↓②	①ᅣ↓②→③	①→�ᅥ②	①→ᅧ②③	①↓ㅗ②→	①↓ㅛ②③→	①→ㅜ↓	①→ㅠ②↓③↓	①→ㅡ	①↓ㅣ

質問 これらの発音に当たる文字の形はどうなるでしょうか？

文字は**子音＋母音で一つの文字になる**けど、上の 10 個は母音だけですね。子音はどうなるのでしょうか。

答え 「ㅇ」の形の「子音」が入ります。

音のない子音「ㅇ」と組み合わせて、「子音（ㅇ）＋母音」の形で書きます。発音は母音のままです。
子音は、縦長の母音の場合は左に、横長の母音の場合は上に入れましょう。

 読みながら書いてみましょう

「子音を書いてから母音」の順に書きましょう。

①아②→③	야	어	여	오	요	우	유	으	이

 아이 （子供）

아이 _____

 우유 （牛乳）

_____

 오이 （きゅうり）

_____

 여우 （キツネ）

_____

 여유 （余裕）

_____

 이유 （理由）

_____

2-2　合成母音

　合成母音は、基本母音を組み合わせて作られたものです。このように合成された形の母音は全部で11個あります。

ㅏ + ㅣ	ㅓ + ㅣ	ㅑ + ㅣ	ㅕ + ㅣ
ㅐ ae	ㅔ e	ㅒ yae	ㅖ ye
エ		イェ	

★文字は違うけど発音は同じ❶

> 「ㅐ」と「ㅔ」の発音は→［エ］
> 「ㅒ」と「ㅖ」の発音は→［イェ］
> ただし、表記は違うのでそれぞれ覚えなければなりません。

 読みながら書いてみましょう

애	에	애	예

 애（この子）

＿＿＿＿＿＿

Yes　예（はい）

＿＿＿＿＿＿

● 合成母音には、「ワ」行の音になるものもあります。

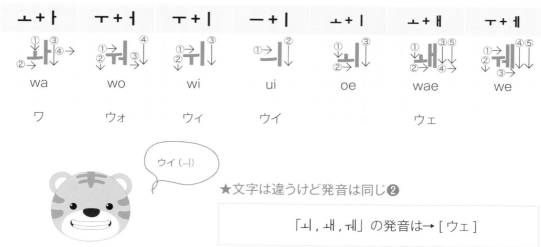

ㅗ+ㅏ	ㅜ+ㅓ	ㅜ+ㅣ	ㅡ+ㅣ	ㅗ+ㅣ	ㅗ+ㅐ	ㅜ+ㅔ
와	워	위	의	외	왜	웨
wa	wo	wi	ui	oe	wae	we
ワ	ウォ	ウイ	ウイ		ウェ	

ウイ (ㅢ)

★文字は違うけど発音は同じ❷

「ㅚ, ㅙ, ㅞ」の発音は→ [ウェ]

・合成母音の発音は、ほとんどの場合、組み合わせた二つの母音を早く発音すると、うまく発音できます

 読みながら書いてみましょう

와	워	위	의	외	왜	웨

 위（上）

_____

 왜？（何で？）

_____

★「의」の発音は3つ

①[ㅢ]：単語の最初の「의」
②[ㅣ]：単語の最初ではない場合。例）의의（意義）[의이]
③[ㅔ]：助詞「の」で使われる場合。例）아이의（子供の）[아이에]

一緒にやってみましょう。

四角の日本語に当たるハングルを選び、□の中に書いてみましょう。

아　야　오　요　우　유　이　에　와　워　위　웨

例）|あ|ゆ|み（歩美）　→　| 아 |　| 유 |

|よ|よ|ぎ（代々木）　→　|　|　|　|

|あ|お|もり（青森）　→　|　|　|　|

|う|え|の（上野）　→　|　|　|　|

|え|びす（恵比寿）　→　|　|

|や|よ|い|（弥生）　→　|　|　|　|　|

|ウィ|スキー　→　|　|

|う|わ|ー　→　|　|　|　|

|ウォ|ーキング　→　|　|

|ウェ|ディング　→　|　|

うわ～

16

③ 子音① 平音

「愛しているよ」の韓国語「サランヘ」の「サ (sa)」には、子音の「s」が入っていますね。
「s」のところに様々な子音を入れて読んでみましょう。

ここに、他の子音
「b,d,g,k,m,n,t,p…」
入れてみようっと！

ㅅ ㅏ

↓

子音 [s]

子音を辞書順に並べてローマ字表記を見てみましょう。

ㄱ	ㄴ	ㄷ	ㄹ	ㅁ	ㅂ	ㅅ	ㅇ	ㅈ	ㅎ
g(k)	n	d(t)	r	m	b(p)	s	なし	j(ch)	h

※発音が二つ書かれている場合（例：g(k)）は文字の位置によって、発音が変わります。

これらの子音は「平音」といいます。

上の子音に母音「ㅏ」を付けて、発音をしてみましょう。

가	나	다	라	마	바	사	아	자	하
ga(ka)	na	da(ta)	ra	ma	ba(pa)	sa	a	ja(cha)	ha

それじゃ、
ひと文字ずつ
やってみよう！

読みながら書いてみましょう

> 母音が縦長の「가」の「ㄱ」は曲がっているけど、
> 母音が横長の「고」の「ㄱ」は直角だね！

	ㅏ	ㅑ	ㅓ	ㅕ	ㅗ	ㅛ	ㅜ	ㅠ	ㅡ	ㅣ
g(k)	①가	갸	거	겨	고	교	구	규	그	기
	가	갸			고	교				
n	①나	냐	너	녀	노	뇨	누	뉴	느	니

 고기 （肉）

고기 ____

 야구 （野球）

____

 이거 （これ）

____

 아뇨 （いいえ）

____

 나와 너 （私とあなた）

____

 누나 （男性からの姉）

____

発音の hint

「ㄱ」の発音は、単語の最初にあるとき、濁らない音になり、母音の次の「ㄱ」は濁る音になります。そのため「고기」の「고 (ko)」と「기 (gi)」の子音の音が異なるように聞こえます。このような現象は、他の子音「ㄷ, ㅂ, ㅈ」にも起こります。
この現象を「有声音化」（p 130 参照）といいます。

	ㅏ	ㅓ	ㅗ	ㅜ	ㅡ	ㅣ	ㅔ	ㅐ
d(t)	다	더	도	두	드	디	데	대
r	라	러	로	루	르	리	레	래

다도 (茶道)

_____

구두 (靴)

_____

어디？ (どこ？)

_____

너구리 (タヌキ)

_____

라디오 (ラジオ)

_____

노래 (歌)

_____

発音の hint 「ㄹ」の発音は、日本語の「ラ」行を発音したときに舌が歯ぐきの方に付く感じ
で発音すればいいです。

19

	ㅏ	ㅓ	ㅕ	ㅗ	ㅜ	ㅠ	ㅡ	ㅣ	ㅐ
m	마	머	며	모	무	뮤	므	미	매
b(p)	바	버	벼	보	부	뷰	브	비	배

드라마 （ドラマ）

_____

뮤비 （ミュージックビデオ）

_____

바나나 （バナナ）

_____

두부 （豆腐）

_____

배구 （バレーボール）

_____

러브 （ラブ）

_____

I Love You
아이러브유~

	ㅏ	ㅓ	ㅕ	ㅗ	ㅜ	ㅠ	ㅡ	ㅣ	ㅔ
s	사	서	셔	소	수	슈	스	시	세
j(ch)	자	저	져	조	주	쥬	즈	지	제

発音の hint

「자」と「쟈」、「저」と「져」、「주」と「쥬」などの発音の区別はつけにくいので、あまり気にせずに発音してください。

버스 （バス）

_____

소나기 （夕立）

_____

주세요 （ください）

_____

수저 （スプーンとお箸）

_____

모자 （帽子）

_____

디자이너 （デザイナー）

_____

이거
주세요~

MENU

「ㅇ」は音がないけど、「ㅎ」は息を出して発音するんだ。
上についている帽子みたいな画が「息」の表示なんだ。

ㅏ	ㅓ	ㅕ	ㅗ	ㅜ	ㅠ	ㅡ	ㅣ	ㅔ
하	허	혀	호	후	휴	흐	히	헤

（h の左に縦書きの「h」、하に①②③の書き順矢印）

表記の hint　「ㅎ」の一画目の点の位置は「ㆄㅎ」のように書いてもかまいません。
ただし「ㆆ」は NG。

새해（新年）
_____

휴지
（トイレットペーパー）
_____

하하 / 히히 / 헤헤
（笑い声）
_____

 いろいろな合成母音と組み合わせてみましょう

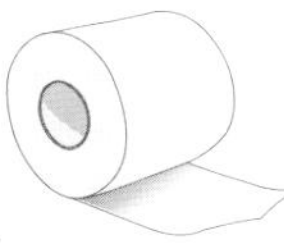

ㅐ	ㅔ	ㅒ	ㅖ	ㅘ	ㅝ	ㅟ	ㅢ	ㅚ	ㅙ	ㅞ
개	네	얘	계	과	줘	귀	희	뇌	돼	웨

지우개（消しゴム）
_____

시계（時計）
_____

가위 바위 보
（グーチョキパー）
_____

호두과자
（くるみまんじゅう）
_____

돼지（ブタ）
_____

메모（メモ）
_____

一緒にやってみましょう。

★ゲームをしよう！

ペアやグループで単語を読み合ってみましょう。
読んだ単語には○をつけましょう。順番はじゃんけんで決めます！
また、どのチームが早く終わらせるか、チーム対抗戦もできます。

야구　　노래　　　　소나기　　버스　　러브

바나나　　　두부　　　주세요　　배구

휴지　　모자　　　어디　　　주스　　누구

새해　　아뇨　　구두　　　　　너구리

메모

시계　　드라마　　과자　　러브

다도

누나　　돼지　　뮤비

지우개

④ 子音② 激音と濃音

子音には平音を基に作られた激音と濃音もあります。文字の形もベースとなっている平音に似ています。
では、激音と濃音をそれぞれ見てみましょう。

4-1 激音

・文字通り、激しい音。息を出して発音。
・なぜ息が出る？ → 息が出る子音「ㅎ」が関与するからです。
　発音は濁った音にはなりません。いつも息を強く出して発音しましょう。
　これらは、外来語の表記でもよく使われるので覚えておきましょう。これらを辞書順に並べ、ローマ字表記と発音のしかたを見てみましょう。

ㄱ + ㅎ ·········→ ㅋ (k)	
ㄷ + ㅎ ·········→ ㅌ (t)	元の形に一画ずつ
ㅂ + ㅎ ·········→ ㅍ (p)	増えた感じだね。
ㅈ + ㅎ ·········→ ㅊ (ch)	

激音は、息を出しながら発音しよう

카	타	파	차

 読みながら書いてみましょう

	ㅏ	ㅓ	ㅗ	ㅜ	ㅡ	ㅣ	ㅔ	ㅟ
k	①②→카	커	코	쿠	크	키	케	퀴
t	②①→③⤵타	터	토	투	트	티	테	튀

※ 母音が縦長の「카」の「ㅋ」は曲がっているけど、母音が横長の「코」の「ㅋ」は直角の形です

케이크 （ケーキ）

_____

 코코아 （ココア）

_____

 퀴즈 （クイズ）

_____

 토스트（トースト）

_____

 후드티 （パーカー）

_____

 키가 크네요
（背が高いですね）

	ㅏ	ㅓ	ㅗ	ㅛ	ㅜ	ㅡ	ㅣ	ㅔ
p	파	퍼	포	표	푸	프	피	페
ch	차	처	초	쵸	추	츠	치	체

※ 「자」 行と同様に 「차」 と 「챠」、「초」 と 「쵸」 などの発音の区別はつきにくいので気にせず発音しましょう。

 대파 （長ネギ）

_____

 피자 （ピザ）

_____

 카페 （カフェ）

_____

 치즈 （チーズ）

_____

 부츠 （ブーツ）

_____

 추가 （追加）

_____

表記の hint　外来語の場合、「p」 と 「f」 は主に子音 「ㅍ」 で表記します。

一緒に会話してみましょう。

カフェで注文をしよう！

激音が読めるようになると簡単な会話ができます！
カフェでメニューを見ながら、好きなものを注文してみましょう。
ペアで交互に店員さん役とお客さん役になって話してみましょう。

카페에서 (カフェで)

店員　**어서 오세요!**

いらっしゃいませ。

お客　**아이스 아메리카노 하나, 초코 케이크 하나 주세요.**

アイスアメリカーノ一つ、チョコケーキ一つください。

店員　**아이스 아메리카노 하나, 초코 케이크 하나요?**
　　　네, 감사합니다.

アイスアメリカーノ一つ、チョコケーキ一つですね。　はい、ありがとうございます。

〈메뉴〉

커피　　　　코코아　　　　카페라테　　　아이스티

치즈 케이크　　초코 케이크　　토스트　　　쿠키

4-2 濃音

・「濃音」は、激音と同じように平音より強い音ですが、息は出しません。表記は平音を二つ重ねて書きます。

・発音は、喉に力を入れ声帯を緊張させて音を出します。喉に力を入れるのが難しいときは濃音の前に小さい「ッ」を入れ発音してみましょう。発音に慣れたら「ッ」は外に漏らさないようにしましょう。強い音を意識して息を出してしまうと激音になりますので注意してください。

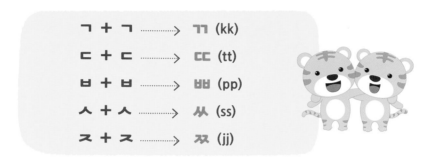

ㄱ + ㄱ	……→	ㄲ (kk)
ㄷ + ㄷ	……→	ㄸ (tt)
ㅂ + ㅂ	……→	ㅃ (pp)
ㅅ + ㅅ	……→	ㅆ (ss)
ㅈ + ㅈ	……→	ㅉ (jj)

까　　따　　빠　　싸　　짜

 読みながら書いてみましょう

書き順は平音をくりかえして書けばいいです。

	ㅏ	ㅓ	ㅗ	ㅜ	ㅡ	ㅣ	ㅐ	ㅚ
kk	까	꺼	꼬	꾸	끄	끼	깨	꾀

아까 （さっき）

토끼 （ウサギ）

꼬끼오～
（コケコッコー）

_____　　_____　　_____

	ㅏ	ㅓ	ㅗ	ㅜ	ㅡ	ㅣ	ㅔ	ㅐ
tt	따	떠	또	뚜	뜨	띠	떼	때
pp	빠	뻐	뽀	뿌	쁘	삐	뻬	빼

또（また）

개띠（いぬ年）

어때요？
（どうですか。）

아빠（パパ）

뽀뽀（チュ）

예쁘다（かわいい）

	ㅏ	ㅓ	ㅗ	ㅜ	ㅡ	ㅣ
ss	싸	써	쏘	쑤	쓰	씨
jj	짜	쩌	쪼	쭈	쯔	찌

싸요 （安いです）

 쓰레기 （ゴミ）

 가짜 （にせ物）

 発音の hint 「ㅈ」行と同様に「짜」と「쨔」、「쪼」と「쬬」などの発音の区別はあまり
付かないので気にせず発音しましょう。

♪ 平音・激音・濃音を聞き分けてみましょう。

先生が発音した文字に〇をつけてみましょう。
慣れたらペアでもチャレンジしてみましょう。

	平音	激音	濃音
①	가	카	까
②	다	타	따
③	바	파	빠
④	사		싸
⑤	자	차	짜

❺ パッチム

あいさつ言葉の「アンニョンハセヨ」の「アン」は、ハングルで書くと一文字の「안」になります。「아」の下の「ㄴ」はパッチムです。つまり、「パッチム」は上の文字を支える子音のことです。

日本語での表記は「アン」と二文字になりますが、韓国語では一文字になります。発音も日本語は二拍子になりますが、韓国語は一拍子になるので気を付けましょう。

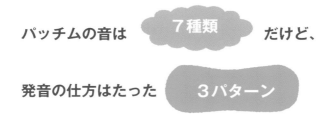

パッチムの音は　　7種類　　だけど、

発音の仕方はたった　　3パターン

発音の仕方	口音	鼻音	流音
❶ 喉の音	ㄱ , ㅋ , ㄲ [k]	ㅇ [ng]	
❷ 唇の音	ㅂ , ㅍ [p]	ㅁ [m]	
❸ 舌先の音	ㄷ , ㅅ , ㅆ , ㅈ , ㅊ , ㅌ , ㅎ [t]	ㄴ [n]	ㄹ [l]

＊「流音」は、舌を歯ぐきに付けたまま舌の両側に空気を流しながら出す音です。

鼻音は鼻が響く感じで
発音するんだよ〜♪

パターン❶ 喉の音

口音 ㄱ, ㅋ, ㄲ [k]	鼻音 ㅇ [ng]
악	**앙**
(アク)	(アン)

※表記が異なる「악 , 앜 , 앆」でも、発音は [ak] で一緒。

〈発音の仕方〉

　「악（アク）」の発音は、「アッカ」と発音するときに、最後の「カ」の直前で止めます。発音のときは喉の周辺に力が入っていることがわかりますね。

　「앙（アン）」は「アンコ」の「アン」の音にあたります。英語「song」の「ng」の音で、喉の奥を響かせるように発音されます。「악」と「앙」は、口を開けたままで発音します。

 書きながら読んでみましょう

パッチムは
最後に書いてね

악	국	학	책	양	방	공	중

악기（楽器）　　　　　　　国（スープ）　　　　　　学교（学校）

_____　　_____　　_____

가방（かばん）　　　　　　책상（机）　　　　　　축구공
　　　　　　　　　　　　　　　　　　　　　　（サッカーボール）

_____　　_____　　_____

31

パターン❷　唇の音

口音　ㅂ , ㅍ [p]	鼻音　ㅁ [m]
압 （アプ）	암 （アム）

※表記が異なる「압 , 앞」でも、発音は [ap] で一緒。

〈発音の仕方〉
「압（アプ）」の発音は、「アップ」と発音するときに、最後の「プ」の直前で止めた音になります。
「암（アム）」は「アンマ」の「アン」の音で、唇が閉じたままですが、鼻から息が抜ける感じで発音
されます。

✏️ 書きながら読んでみましょう

입	잎	팝	겹	김	삼	줌	햄

 잎 （葉っぱ）

_____

 집 （家）

_____

 케이팝 （K-POP）

_____

 잠 （眠り）

_____

 김밥 （のり巻き）

_____

 햄버거
（ハンバーガー）

_____

パターン❸　舌先の音

口音 ㄷ,ㅅ,ㅆ,ㅈ,ㅊ,ㅌ,ㅎ [t]	鼻音 ㄴ [n]	流音 ㄹ [l]
앋	안	알
（アッ）	（アン）	（アル）

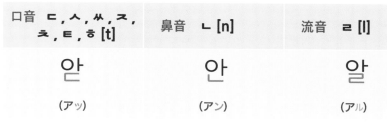

참ノ型
舌先の音!

※表記が異なる「앋, 앗, 았, 앚」でも、発音は [at] で一緒。

〈発音の仕方〉

「앋（アッ）」の発音は、「アッタ」と発音するときに、最後の「タ」の直前で止めた音になります。
舌が上の歯ぐきのところに付いたままになりますね。

「안（アン）」も「アンナ」の「ナ」の直前に音を止めると舌が歯ぐきに付きます。

「알（アル）」は、日本語の「ら」を発音したときのように、舌先を上の歯ぐきのほうに付けたままで
音を止めます。

📝　書きながら読んでみましょう

맛	팥	숟	꽃	산	잔	물	글

 팥빙수
（小豆のかき氷）

————

ホットドッグ 핫도그
（ホットドッグ）

————

 숟가락 （スプーン）

————

 눈 （雪）

————

 우산 （傘）

————

 스마트폰
（スマートフォン）

————

 물 （水）

————

 삼겹살
（サムギョプサル）

————

 한글 （ハングル）

————

一緒にゲームしてみましょう。

これでみなさんはハングルが全部読めるようになりました。ここで一緒にカルタをやってみましょう。なじみのある食べ物や飲み物がたくさん出てくるので楽しくやってみましょう。

★メニューカルタゲーム

〈やり方〉
①先生と一緒にメニューを発音してみましょう。（意味は書き込まないでね！）
②下のシートのコピーをとって点線に沿って切り、取り札を作っておきます。
③二人またはグループ分けをして、切った札を机の上に広げておきます。
④読み手が「〇〇주세요！（ください）」と言ったら、相手は読まれたメニューの札を取ります。

김밥	삼계탕	밀크티	순두부찌개
삼겹살	김치	초밥	떡볶이
치킨	비빔밥	콜라	물
치즈핫도그	짜장면	주스	팝콘
갈비	라면	국밥	솜사탕

ハングル表

子音 ＼ 母音	ㅏ a	ㅑ ya	ㅓ eo	ㅕ yeo	ㅗ o	ㅛ yo	ㅜ u	ㅠ yu	ㅡ eu	ㅣ i
ㄱ g(k)	가	갸	거	겨	고	교	구	규	그	기
ㄴ n	나	냐	너	녀	노	뇨	누	뉴	느	니
ㄷ d(t)	다	댜	더	뎌	도	됴	두	듀	드	디
ㄹ r	라	랴	러	려	로	료	루	류	르	리
ㅁ m	마	먀	머	며	모	묘	무	뮤	므	미
ㅂ b(p)	바	뱌	버	벼	보	뵤	부	뷰	브	비
ㅅ s	사	샤	서	셔	소	쇼	수	슈	스	시
ㅇ なし	아	야	어	여	오	요	우	유	으	이
ㅈ j(ch)	자	쟈	저	져	조	죠	주	쥬	즈	지
ㅊ ch	차	챠	처	쳐	초	쵸	추	츄	츠	치
ㅋ k	카	캬	커	켜	코	쿄	쿠	큐	크	키
ㅌ t	타	탸	터	텨	토	툐	투	튜	트	티
ㅍ p	파	퍄	퍼	펴	포	표	푸	퓨	프	피
ㅎ h	하	햐	허	혀	호	효	후	휴	흐	히
ㄲ kk	까	꺄	꺼	껴	꼬	꾜	꾸	뀨	끄	끼
ㄸ tt	따	땨	떠	뗘	또	뚀	뚜	뜌	뜨	띠
ㅃ pp	빠	뺘	뻐	뼈	뽀	뾰	뿌	쀼	쁘	삐
ㅆ ss	싸	쌰	써	쎠	쏘	쑈	쑤	쓔	쓰	씨
ㅉ jj	짜	쨔	쩌	쪄	쪼	쬬	쭈	쮸	쯔	찌

日本語のハングル表記

日本語	ハングル （かっこは、単語の語頭以外の場合）
あ　い　う　え　お	아　이　우　에　오
か　き　く　け　こ	가　기　구　게　고（카　키　쿠　케　코）
さ　し　す　せ　そ	사　시　스　세　소
た　ち　つ　て　と	다　지　쓰　데　도（타　치　쓰　테　토）
な　に　ぬ　ね　の	나　니　누　네　노
は　ひ　ふ　へ　ほ	하　히　후　헤　호
ま　み　む　め　も	마　미　무　메　모
や　　ゆ　　よ	야　　유　　요
ら　り　る　れ　ろ	라　리　루　레　로
わ　　　　　を	와　　　　　오
が　ぎ　ぐ　げ　ご	가　기　구　게　고
ざ　じ　ず　ぜ　ぞ	자　지　즈　제　조
だ　ぢ　づ　で　ど	다　지　즈　데　도
ば　び　ぶ　べ　ぼ	바　비　부　베　보
ぱ　ぴ　ぷ　ぺ　ぽ	파　피　푸　페　포
きゃ　きゅ　きょ	갸　규　교（캬　큐　쿄）
しゃ　しゅ　しょ	샤　슈　쇼
ちゃ　ちゅ　ちょ	자　주　조（차　추　초）
にゃ　にゅ　にょ	냐　뉴　뇨
ひゃ　ひゅ　ひょ	햐　휴　효
みゃ　みゅ　みょ	먀　뮤　묘
りゃ　りゅ　りょ	랴　류　료
ぎゃ　ぎゅ　ぎょ	갸　규　교
じゃ　じゅ　じょ	자　주　조
びゃ　びゅ　びょ	뱌　뷰　뵤
ぴゃ　ぴゅ　ぴょ	퍄　퓨　표
（撥音）ん	（パッチム）ㄴ
（促音）っ	（パッチム）ㅅ
長音	表記しない

例）東京（とうきょう）　도쿄　　大阪（おおさか）　오사카

　　服部俊（はっとりしゅん）　핫토리 슌

★私の名前：＿＿＿＿＿＿＿＿＿＿＿＿＿＿＿＿＿＿＿＿

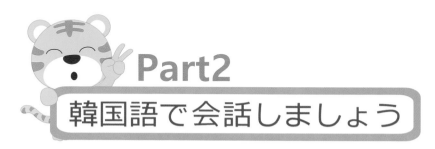

Part2
韓国語で会話しましょう

제 1 과 저는 고등학생이에요.

私は高校生です。

수민 안녕하세요. 이수민이에요.

유토 반갑습니다.

수민 만나서 반가워요.

유토 제 이름은 간자키 유토입니다. 저는 일본 사람입니다.

수민 저는 한국 사람이에요. 고등학생입니다.

유토 저는 대학생 유튜버예요. 잘 부탁합니다.

単 語 & 表 現

- 안녕하세요 こんにちは。朝・昼・夜いつでも
  使えるあいさつ表現
- 만나서 반가워요 お会いできてうれしいです。
  「반가워요 / 반갑습니다」だけでも使う
- 제 私の。「저 (私) +의 (の)」の縮約形で、
  会話で使う表現
- 이름 名前
- 일본 사람 日本人。「사람」は「人」

- 저는 私は
- 한국 韓国
- 고등학생〈高等学生〉高校生。
  「中学生」は「중학생」
- 대학생 大学生
- 유튜버 ユーチューバー。「ユーチューブ」は「유튜브」
- 잘 부탁합니다 [부타캄니다] よろしくお願いします

38

1 （名詞）です

-입니다

・フォーマルな（かしこまった丁寧な）言い方。
・発音は[임니다]（p131「鼻音化」参照）
・質問は「-입니까?（〜ですか）」

初対面での自己紹介や
学校で発表する時に使うと
いいよ！

例）고등학생입니다.　（高校生です。）

　　유튜버입니까?　（ユーチューバーですか。）

2 （名詞）です（か）

-이에요 (?) / -예요 (?)

・インフォーマルな（丁寧だけど堅苦しくない）言い方で日常会話でよく使う。
・「-입니다」より親しみがあるニュアンス。
・質問するときは、「?」を付けてイントネーションを上げる。
・前の名詞の最後にパッチムあり→「-이에요 (?) 」
　　　　　　　　　　　　　なし→「-예요 (?) 」

名詞の最後の文字に
注目してね！

例）고등학생이에요?　（高校生ですか。）
　　パッチムあり

　　유튜버예요.　　　（ユーチューバーです。）
　　パッチムなし

3 助詞：〜は

-은 / 는

・前の名詞の最後にパッチムあり→「-은」
　　　　　　　　　　　　　なし→「-는」

「한국은」の発音は[한구근]
〈参照〉p130（連音化）

例）한국은 （韓国は）、　저는 （私は）
　　パッチムあり　　　　パッチムなし

1 助詞「〜は」として正しいほうに〇を付けましょう。

(1) 저(은/는)

(2) 친구(은/는)
友達

(3) 선생님(은/는)
先生

(4) 이름(은/는)

(5) 취미(은/는)
趣味

(6) 스포츠(은/는)
スポーツ

2 かっこの中の正しいほうに〇を付けましょう。

(1) 유튜버(예요/이에요).

(2) 일본 사람(예요/이에요).

(3) 제 친구(예요/이에요).

(4) 대학생(예요/이에요).

(5) 제 이름(예요/이에요).

3 次を「**-입니다**」を使って韓国語で書いて、言ってみましょう。

(1) 私は日本人です。

→ _____

(2) 先生は韓国人です。

→ _____

(3) 友達はユーチューバーです。

→ _____

(4) 私の友達は高校生です。

→ _____

(5) 私の趣味はスポーツです。

→ _____

もう一歩!

1 次はユンホの自己紹介です。下線の部分を「**-예요/이에요**」に直してみましょう。

안녕하세요?

제 이름은 최윤호<u>입니다</u>.

저는 고등학생<u>입니다</u>.

취미는 축구 관전<u>입니다</u>.
サッカー観戦

좋아하는 스포츠 선수는
好きな　　　　　　選手

손흥민<u>입니다</u>.

→

안녕하세요?

제 이름은 최윤호_____

저는 고등학생_____

취미는 축구 관전_____

좋아하는 스포츠 선수는

손흥민_____

2 自分の友達や好きな芸能人などの名前を入れて、紹介してみましょう。

제 친구 수민이에요.

_____예요/이에요.

좋아하는 연예인은 이민호예요.
芸能人

_____예요/이에요.

教室活動はp.110

41

A형이 아니에요.

A型ではありません。

윤호　수민 씨는 혈액형이 뭐예요?

수민　무슨 형 같아요?

윤호　글쎄요…, A형?

수민　아뇨, 저는 A형이 아니에요. B형이에요.

윤호　정말요? 저도 B형이에요.

수민　어머, 저하고 같네요.

単語 & 表現

- ●-씨　～さん。普通会話では、名字だけに「씨」は付けず、フルネームや名前に付ける　例) 이수민 씨, 수민 씨
- ●혈액형 [혀래경]　血液型
- ●뭐예요?　何ですか
- ●무슨 형　何型。「O型」は「O형」、「무슨」は「何の」。例) 무슨 뜻 (何の意味)
- ●같아요?　～と思いますか、～みたいですか?
- ●글쎄요　そうですね…
- ●아뇨　いいえ。「はい」は「네」
- ●정말요?　本当ですか。質問ではなく、相手の話に対する相づち表現
- ●어머　あら。感嘆詞
- ●-하고　(助詞) ～と
- ●같네요 [간네요]　一緒ですね、同じですね

42

文型

1　（名詞）ではありません

-이/가 아니에요

・前に来る名詞の最後にパッチムあり→「**-이 아니에요**」
　　　　　　　　　　　　　　　なし→「**-가 아니에요**」
・疑問文は、「？」を付けて「**-이/가 아니에요?**」
・フォーマルな言い方は「**-이/가 아닙니다**」「**-이/가 아닙니까?**」

저는 사람이
아니에요.

　例）가수가 아니에요.　　（歌手ではありません。）
　　　Ａ형이 아니에요?　（Ａ型ではありませんか。）
　　　학생이 아닙니다.　（学生ではありません。）

〈まとめ〉

	～です	～ですか	～ではありません	～ではありませんか
インフォーマルな場面	-예요/이에요	-예요/이에요?	-이/가 아니에요	-이/가 아니에요?
フォーマルな場面	-입니다	-입니까?	-이/가 아닙니다	-이/가 아닙니까?

2　助詞：～も

-도

・前に来る名詞のパッチムの有無に関係なく「**-도**」が使える。

　例）저도 가수예요.　　（私も歌手です。）
　　　형도 학생이에요.　（兄も学生です。）

1 助詞 「〜が」 として正しいほうに○を付けましょう。

(1) 저는 가수(이/가) 아니에요.　　(2) 저는 학생(이/가) 아니에요.

(3) 친구는 유튜버(이/가) 아니에요.　(4) 이것도 물(이/가) 아니에요.
　　　　　　　　　　　　　　　　　　　　これも　水

(5) 그건 스마트폰(이/가) 아니에요.
　　それは　スマートフォン

2 次の文を否定表現にしてみましょう。

(보기)　저는 A형이에요.　　→　　　저는 A형이 아니에요.
例

(1) 저는 B형이에요.　　　　→　_____

(2) 동생은 중학생이에요.　→　_____
　　弟/妹

(3) 저건 커피예요.　　　　→　_____
　　あれは　コーヒー

3 次の絵を見て質問に答えてみましょう。

(보기)　파티시에　パティシエ	(1)　배우　俳優	(2)　기자　記者
(3)　선생님	(4)　야구 선수　野球	(5)　아이돌　アイドル

(보기)　파티시에예요?　　네, 파티시에예요.
はい

(1) 배우예요?　　　　　_____

(2) 아나운서예요?　　　_____
　　アナウンサー

(3) 학생이에요?　　　　_____

(4) 축구 선수예요?　　 _____

(5) 아이돌이에요?　　　_____

1 友達が悠人について質問します。例のように答えてみましょう。

간자키 유토
대학생, 유튜버, O형,
취미: 요리
_{料理}

유토 씨는 연예인이에요?

서준

例) 아뇨, 유토 씨는 연예인이
아니에요. 유튜버예요.

나는
유토 씨 팬 ♥
ファン

가인

(1) 유토 씨는 고등학생이에요?

아뇨, _____
_____

(2) 유토 씨는 B형이에요?

아뇨, _____
_____

(3) 유토 씨 취미는 운동이에요?
_{運動}

아뇨, _____
_____

(4) 유토 씨는 가인 씨의 친구예요?
_の

아뇨, _____
_____

教室活動はp.111

45

신오쿠보에 갑니다.

新大久保に行きます。

　저는 주말에 주로 친구를 만납니다. 우리는 신오쿠보에 자주 갑니다. 거기는 한국 식당하고 카페가 많습니다. 식당에서는 한국말로 주문도 합니다. 카페에서는 뮤직 비디오도 봅니다. 케이팝 굿즈도 많이 팝니다. 아주 재미있습니다.

 単 語 & 表 現

- 주말에　週末に。「-에」は時間を表す助詞「〜に」
- 주로　主に
- 친구를 만납니다　友達に会います。「를」は助詞 「〜を」、パッチムありは「을」。例) 빵을 (パンを)
- 우리　私たち
- 신오쿠보에　新大久保へ。「-에」は方向を表す助詞「へ」
- 자주　頻繁に、(頻度が)よく
- 갑니다　行きます
- 거기　そこ。「ここ」は「여기」、「あそこ」は「저기」
- 식당　食堂
- 카페　カフェ
- 많습니다 [만씀니다]　多いです

- -에서　場所を表す助詞「〜で」
- 한국말로　韓国語で。「로」は手段を表す助詞「で」
- 주문도 합니다　注文もします 「注文する」は「주문하다」
- 뮤직 비디오　ミュージックビデオ (MV)
- 봅니다　見ます
- 케이팝 굿즈　K-POPグッズ
- 많이 [마니]　たくさん
- 팝니다　売っています、売ります
- 아주　とても
- 재미있습니다　面白いです、楽しいです

1 （動詞）ます・（形容詞）です

-ㅂ/습니다

・フォーマルな場面や書き言葉でよく使う。
・韓国語の動詞・形容詞の基本形は「-다」で終わる。

○○	다
語幹	語尾

動詞：**가 다** （行く）
　　　語幹 語尾

形容詞：**좋 다** （良い）
　　　　語幹 語尾

活用は語尾「다」を取ってから

活用：語幹の最後のパッチムの有無によって違う。
　　　　ただし、「ㄹ」パッチムのときは「ㄹ」が脱落する。

パッチムあり	パッチムなし	「ㄹ」パッチム
좋다 （良い）	**가다** （行く）	**살다** （住む）
＋ 습니다	＋ ㅂ니다	脱落 ＋ ㅂ니다
→ 좋습니다	→ 갑니다	→ 삽니다
疑問形：「좋습니까?」	「갑니까?」	「삽니까?」

例）저는 내일 한국에 갑니다. （私は明日韓国へ行きます。）

2 （動詞）ません・（形容詞）くないです、～ではありません

안 -ㅂ/습니다

・動詞・形容詞を否定する表現
・フォーマルな場面や書き言葉でよく使う。

오다 （来る）　　→　안 옵니다 　（来ません）

바쁘다 （忙しい）　→　안 바쁩니다 　（忙しくありません）

★（注意!）공부하다 （勉強する）　→　공부 안 합니다 （勉強しません）
　　　　　　　　　　　　　　　　　　안 공부합니다 （×）

「勉強（を）する」のように
「名詞（を）する」の場合は、
「하다」の前に「안」つけなくちゃ。

例）내일 학교에 갑니까? - 아뇨, 안 갑니다.
　　（明日学校へ行きますか。－いいえ、行きません。）

1 次の動詞・形容詞を「-ㅂ/습니다」表現にしてみましょう。

	-ㅂ/습니까? （〜ますか）	-ㅂ/습니다 （〜ます）	안 - （〜ません）
(보기) 가다 (行く)	갑니까?	갑니다	안 갑니다
(1) 만나다 (会う)			
(2) 먹다 (食べる)			
(3) 놀다 (遊ぶ)			
(4) 메일하다 (メールする)			
(5) 자다 (寝る)			
(6) 보다 (見る)			
(7) 듣다 (聴く)			
(8) 만들다 (作る)			
(9) 산책하다 (散歩する)			
(10) 좋아하다 (好きだ)			
(11) 많다 (多い)			
(12) 멀다 (遠い)			

1 絵を見て「誰が何をしているのか」について言ってみましょう。

(1) 윤호/음악을 듣다 音楽	(2) 리사/남자 친구를 만나다 ボーイフレンド	(3) 유토/카레라이스를 만들다 カレーライス
(4) 지수/버블티를 마시다 タピオカドリンク	(5) 강아지/산책을 하다 子犬	(6) 고양이/낮잠을 자다 猫　　昼寝をする

(1) A : 윤호는 뭐 합니까?　　　　　　　　B : _____

(2) A : 누가 남자 친구를 만납니까?　　　　B : _____
　　　　誰が

(3) A : 누가 카레라이스를 만듭니까?　　　　B : _____

(4) A : 지수는 뭐 합니까?　　　　　　　　B : _____

(5) A : 강아지는 낮잠을 잡니까?　　　　　　B : _____

(6) A : 고양이도 산책을 합니까?　　　　　　B : _____

2 次の質問に自分のことについて「-ㅂ/습니다」で答えましょう。

(보기) Q : 내일 누구를 만납니까?　　　　A : 친구를 만납니다. _____
　　　　　明日　　誰

(1) Q : 어디에 삽니까?　　　　　　　　A : _____
　　　　どこ

(2) Q : 집은 멉니까?　　　　　　　　　A : _____
　　　　家

(3) Q : 아침에는 주로 뭘 먹습니까?　　A : _____
　　　　朝　　　　　　何を

(4) Q : 주로 누구하고 놉니까?　　　　　A : _____

(5) Q : 뭐가 제일 맛있습니까?　　　　　A : _____
　　　　　　　最も　おいしいですか

(6) Q : 친구하고 자주 메일합니까?　　　A : _____

教室活動はp.112

제 **4** 과 서울에 있어요?

ソウルにありますか。

수민	유토 씨, 주말에 약속 있어요?
유토	실은 주말에 서울에 갑니다.
수민	와, 좋겠네요. 서울 어디에 갑니까?
유토	아직 모르겠어요. 어떤 관광지가 있어요?
수민	인사동이 있어요. 명동하고 경복궁도 유명합니다.
유토	경복궁이 서울에 있어요?

 単 語 & 表 現

- 약속　約束
- 실은　実は
- 서울　ソウル
- 좋겠네요 [조켄네요]　いいですね。
  相手の気持ちを推測する表現
- 아직　まだ
- 모르겠어요　わかりません
- 어떤　どんな
- 관광지　観光地

- 인사동　仁寺洞。韓国の伝統文化がわかる街
- 명동　明洞。ソウルで人気のショッピング街
- 경복궁　景福宮。朝鮮時代の宮殿
- 유명합니다　有名です。基本形は「유명하다 (有名だ)」
- ☆助詞「-에」
- ① (位置) に : 서울에 있습니다
- ② (方向) へ : 서울에 갑니다
- ③ (時間) に : 주말에

文型

1 あります・います　　　　ありません・いません

있어요　　　/　　　없어요

・人やもの、日程などの有無を表すインフォーマルな表現
・発表や演説のようなフォーマルな場面では主に「**있습니다/없습니다**」
・疑問形は「**있어요?/없어요?**」、「**있습니까?/없습니까?**」

例) 우산이 있어요.　　　　（かさがあります。）
　　친구가 많이 있어요.　　（友達がたくさんいます。）
　　수업은 없어요?　　　　（授業はありませんか。）
　　저는 꿈이 있습니다.　　（私は夢があります。）

2 〜にあります・います

-에 있어요

・位置を表す助詞「**-에**（〜に）」

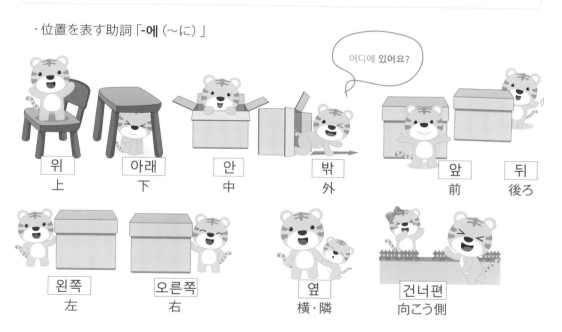

어디에 있어요?

위	아래	안	밖	앞	뒤
上	下	中	外	前	後ろ

왼쪽	오른쪽	옆	건너편
左	右	横・隣	向こう側

例) 약국 옆에 편의점이 있어요.　（薬局の隣にコンビニがあります。）
　　교실 밖에 친구가 있습니다.　（教室の外に友達がいます。）

1 次の手帳の「今日の予定」について言ってみましょう。

5/9 (水)
수업, 아르바이트, 약속
이벤트

(보기) 저는 오늘 <u>수업이</u> 있어요.
今日 授業

(1) 저는 오늘 _____ 있어요.

(2) 저는 오늘 _____ 있어요.

(3) 저는 오늘 _____ 있습니다.

2 絵の中から「今持っているもの」に○を付けて言ってみましょう。

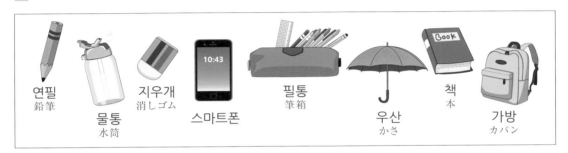

연필
鉛筆

물통
水筒

지우개
消しゴム

스마트폰

필통
筆箱

우산
かさ

책
本

가방
カバン

(보기) 필통 안에 <u>연필이</u> 있어요.

(1) 지금 책상 위에_____ 있어요.
今　　机

(2) 제 가방 안에는_____ 있어요.

(3) _____ 있어요.

(4) _____ 있어요.

(5) _____ 있습니다.

3 「**형제 (兄弟) 가 있어요?**」と質問し、次の絵を見て答えてみましょう。

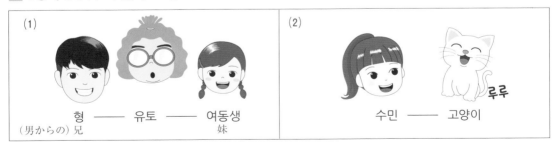

(1)
형 —— 유토 —— 여동생
(男からの) 兄　　　　　　　妹

(2)
수민 —— 고양이　　루루

(1) 유토 씨는 _____ 하고 _____ 있습니다.

(2) 수민 씨는 외동딸이에요. _____ 없어요. 하지만 고양이가 있어요.
一人娘　　　　　　　　　　　　　　　でも

고양이 이름은 _____ 예요.

1 次の絵を見て質問に答えてみましょう。

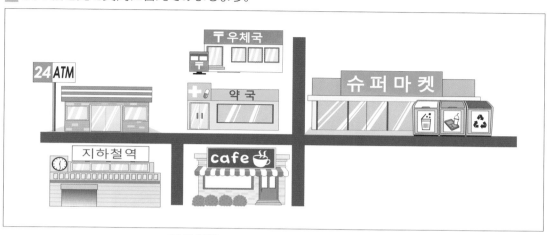

*지하철역（地下鉄の駅）　우체국（郵便局）　슈퍼마켓（スーパーマーケット）

⑴ A : 편의점 옆에 뭐가 있어요?　　　　　B : _____
　　　コンビニ

⑵ A : 약국 뒤에 뭐가 있어요?　　　　　　B : _____
　　　薬局

⑶ A : 카페 왼쪽에 뭐가 있어요?　　　　　B : _____

⑷ A : 휴지통은 어디에 있어요?　　　　　　B : _____
　　　ゴミ箱

⑸ A : ATM은 어디에 있어요?　　　　　　　B : _____

2 次の質問に自分のことを答えてみましょう。

⑴ Q : 오늘 숙제가 있어요?　　　　　　　　A : _____
　　　　宿題

⑵ Q : 내일 시험이 있어요?　　　　　　　　A : _____
　　　　試験

⑶ Q : 주말에 아르바이트가 있어요?　　　　A : _____

⑷ Q : 형제가 있어요?　　　　　　　　　　　A : _____

⑸ Q : 집에 강아지가 있어요?　　　　　　　A : _____

教室活動はp.113

주말에 뭐 해요?

週末に何をしますか。

수민　윤호 씨는 보통 주말에 뭐 해요?

윤호　토요일에는 학원에 가요.

수민　일요일은요?

윤호　일요일에는 친구하고 놀아요.

수민　어디에서 놀아요?

윤호　우리 집이나 친구 집에서 게임을 해요. 그게 요즘 제 힐링이에요.

 **単語 & 表現** QR

- 보통　普通
- 토요일　土曜日

月	火	水	木	金	土	日
월	화	수	목	금	토	일

- 학원　塾、学院
- 일요일은요?　日曜は?「日曜は (何をし) ますか」
  「요?」は反復を避ける表現
- 놀아요　遊びます

- -이나　「選択」を表す助詞「か」。パッチムがない
  ときは「-나」、
  例) 영화나 드라마 (映画かドラマ)
- 게임을 해요　ゲームをします
- 그게　それが。「これが」は「이게」、「あれが」は「저게」
- 요즘　最近
- 힐링　ヒーリング、癒し

〈日常会話で〉（動詞）ます、（形容詞）です

-아요 / -어요

会話で最も使える形だから
たくさん言ってみようね！

・主に、日常会話のようなインフォーマルな場面でよく使う丁寧な表現。
・質問するときは、「?」を付けてイントネーションを上げる。

〈 活用は語幹の最後の文字の母音によって ❶〜❸ 〉

活用 ❶：「-아요」もしくは「-어요」を付ける。

基本形	語幹の母音が ㅏ・ㅗ ＋ 아요		～ます・です
살다 （住む）	살 ＋ 아요	→	살아요
좋다 （良い）	좋 ＋ 아요		좋아요

基本形	語幹の母音が ㅏ・ㅗ 以外 ＋ 어요		
먹다 （食べる）	먹 ＋ 어요	→	먹어요

例) 김치를 먹어요? （キムチを食べますか。）── 잘 먹어요. （よく食べます。）

活用 ❷：母音が重なったり合体したりする。

基本形	（パッチムのない）語幹の母音が ㅏ・ㅓ の場合：縮約		～ます・です
가다 （行く）	가ㅏ＋아요：ㅏとㅏが重なって	→	가요
서다 （立つ）	서ㅓ＋어요：ㅓとㅓが重なって		서요

基本形	（パッチムのない）語幹の母音が ㅗ・ㅜ・ㅣ などの場合：複合		～ます・です
보다 （見る）	보ㅗ＋아요 ：ㅗとㅏが合体してㅘ	→	봐요
배우다 （学ぶ）	배우ㅜ＋어요：ㅜとㅓが合体してㅝ		배워요
되다 （なる）	되ㅚ＋어요 ：ㅚとㅓが合体してㅙ		돼요 / 되어요*
마시다 （飲む）	마시ㅣ＋어요：ㅣとㅓが合体してㅕ		마셔요

＊「되어요」も使える。

例) 어디에 가요? （どこへ行きますか。）── 한국에 가요. （韓国へ行きます。）

活用 ❸：「하다」→「해요」

　　　・動詞・形容詞の「-하다」は「해요」となる。

　　청소하다 （掃除する） → 청소해요　　　　건강하다 （健康だ） → 건강해요

例) 뭐 해요? （何をしていますか。）── 숙제해요. （宿題しています。）

1 次の動詞・形容詞を「**-아/어요**」にしてみましょう。

	-아/어요? (〜ますか、ですか)	-아/어요. (〜ます、です)	안 - (〜ません、ではないです)
(보기) 가다 (行く)	가다	가요	안 가요
(1) 살다 (住む)			
(2) 먹다 (食べる)			
(3) 읽다 (読む)			
(4) 놀다 (遊ぶ)			
(5) 맛있다 (おいしい)			맛없어요
(6) 멀다 (遠い)			
(7) 만나다 (会う)			
(8) 기다리다 (待つ)			
(9) 나오다 (出る)			
(10) 공부하다 (勉強する)			
(11) 유명하다 (有名だ)			
(12) 좋아하다 (好きだ)			
(13) 쉬다 (休む)			

1 次はユンホの週末の話です。下線のところを「-**아/어요**」に変えてみましょう。

저는 토요일에 학원에 갑니다. 학원에서는 수학하고 영어를 배웁니다.
数学　　英語
(보기) (가다 → 가요)　　　　①(배우다 →　　　　)

수업 후에는 학교 숙제를 합니다. 일요일에는 주로 친구를 만납니다.
後
②(하다 →　　　)　　　③(만나다 →　　　　)

우리 집이나 친구 집에서 놉니다. 게임은 정말 재미있습니다.
④(놀다 →　　　)　　⑤(재미있다 →　　　　)

다음 주에는 새로운 게임이 나옵니다. 정말 기대됩니다.
来週　　　新しい　　　　　　　楽しみです
⑥(나오다 →　　　)　⑦(기대되다 →　　　　)

2 次は上のユンホの話についての質問です。適切に答えてみましょう。

⑴ 윤호는 토요일에 뭐 해요?

→ _____

⑵ 학원에서는 뭐 배워요?

→ _____

⑶ 학원 수업 후에 뭐 해요?

→ _____

⑷ 일요일에는 주로 누구를 만나요?

→ _____

⑸ 친구하고 뭐 해요?

→ _____

⑹ 윤호는 지금 뭘 기다려요?

→ _____

教室活動はp.114

CA (클럽활동) クラブ活動

日本では、サークル活動や部活をする人が多いですが、韓国では大学受験が優先されがちなので参加する人が少ないです。ですが、それとは別に月1回のクラブ活動は全員が参加することが義務付けられています。校内のポップソング部、数学部、科学部、料理部、ダンス部、映画鑑賞部などや、外部の施設と連携したボーリング部、陶芸部、工芸部などさまざまな部があり、自分の趣味や好みに合う部に所属して活動します。ただ、どの部も定員が決まっているので人気の部はジャンケンや抽選で決めます。外部の施設で行われるクラブ活動は現地集合が多いので、面倒だと思う

生徒は校内の活動を選んだり、他のクラスの友達と会いたいと思う生徒は友達と事前に約束してわざと人気のない部を選ぶこともあります。一度決めたら1年は続けなければならないので慎重に決めないといけません。

야간자율학습 夜間自律学習

　みなさんは「야자」という言葉を聞いたことがありますか。「야자」は「야간 자율학습 (夜間自律学習)」の縮めた言葉で、授業が終わった後に学校に残って自習をすることを言います。自習だから希望する人だけすればいいイメージですが、多くの学校では全員参加になっています。学校によりますが、1～2年生は夜9時まで、受験生である3年生は夜10時(または11時)までのところが多いです。土曜日は午前に授業がある場合は授業を受けた後に午後5時まで、日曜日も朝9時から夕方5時まで学校で自習しなければなりません。夏休みや冬休みも同じで、完全に休みになるのは1週間程度です。

　昔は「야자」に加え、0時限と8時限もありました。1時限～7時限の正規授業の前後に、国語・数学・英語の受験対策の授業がローテーションで入りました。

　朝早くから夜遅くまで一日中、学校で勉強するのは確かに窮屈に思えますが、その中でも楽しい思い出はできると思います。眠気を覚ますため、急に歌いだす生徒がいたとか、廊下に出てみんなでダンスをしたという話をよく聞きます。みんなが賛成したときは突然「クラスライブ」を開催したりもします。自習をしていたみんなが静かに席を立ち、順番に歌を歌ったりダンスをするのを想像すると面白いですよね。まあ、そのライブは監督の先生に中断されがちですが…。＾＾

유튜버가 되고 싶어요.

ユーチューバーになりたいです。

수민　윤호 씨, 유튜버 유토 씨랑 친구죠?

윤호　친한 형이에요. 왜요?

수민　저도 유튜버가 되고 싶어요. 그래서 유토 씨한테 이야기도 듣고
　　　조언도 듣고 싶어요.

윤호　그래요? 라인 아이디가 뭐예요?

수민　(종이에 메모)　이거예요. 꼭 좀 부탁해요.

윤호　네, 알겠어요.

- ●-랑　～と。会話でよく使う助詞。
  パッチムで終わる名詞には「-이랑」
  例) 가족이랑 (家族と)
- ●친구죠?　友達でしょ?「죠?」は同意を求める確認表現
- ●친한　親しい～。名詞を修飾する形　例) 친한 친구
- ●왜요?　なぜですか
- ●그래서　それで
- ●-한테　助詞 (人) から、に。「한테서」も使う
- ●이야기　話

- ●조언　助言、アドバイス
- ●듣고 싶어요　聞きたいです
- ●그래요?　そうですか
- ●아이디　ID
- ●종이　紙
- ●메모　メモ
- ●꼭　ぜひ、必ず
- ●좀　ちょっと。お願いや依頼するときよく使う
- ●알겠어요　わかりました

文型

1 ～したいです

-고 싶어요

·自分の希望を表す。

·質問は、「**-고 싶어요?**」

·「～したくないです」は「**안 -고 싶어요**」

活用：動詞の語幹に「**-고 싶어요**」を付ける。

　　가다 → 가고 싶어요.

　　먹다 → 먹고 싶어요?

　例）USJ에 가고 싶어요.　　　　（USJに行きたいです。）

　　　뭘 먹고 싶어요?　　　　　（何を食べたいですか。）

　　　오늘은 안 만나고 싶어요.　（今日は会いたくないです。）

2 ～になりたいです

-이/가 되고 싶어요

活用：名詞の最後にパッチムあり → 「**-이 되고 싶어요**」

　　　　　　　　　　　　なし → 「**-가 되고 싶어요**」

　例）배우가 되고 싶어요.　　　（俳優になりたいです。）

　　　아이돌이 되고 싶어요.　　（アイドルになりたいです。）

사람이 되고 싶어요!

3 ～して、～し

-고

·複数の事柄を並べるとき使う。

活用：動詞と形容詞は語幹に「**-고**」を付ける。

　　　名詞は最後にパッチムあり → 「**-이고**」

　　　　　　　　　　　　なし → 「**-고**」

　例）점심을 먹고 영화를 보고 카페에 가요.　（昼ご飯を食べて、映画を見て、カフェに行きます。）

　　　이 펜은 디자인도 예쁘고 가격도 싸요.　（このペンはデザインもかわいいし、値段も安いです。）

　　　저 사람은 모델이고 배우예요.　　　　　（あの人はモデルで俳優です。）

1 次を「**-고 싶어요**」を使い、かっこの表現に変えてみましょう。

(보기) 주스를 마시다 (飲みたいですか) → 주스를 마시고 싶어요?
　　　　ジュース

(1) 한국어를 배우다 (習いたいです) → _____
　　韓国語

(2) 영화를 보다 (見たいですか) → _____
　　映画

(3) 춤을 추다 (踊りたいです) → _____
　　踊りを踊る

(4) 피망을 먹다 (食べたくないです) → _____
　　ピーマン

(5) 바다에 가다 (行きたくないです) → _____
　　海

2 (보기) のように、「**-이/가 되고 싶어요**」を使って言ってみましょう。

(보기)	(1)	(2)
가수	모델 モデル	야구선수
(3)	(4)	(5) 自由に入れてみましょう。
선생님	미용사 美容師	

(보기) 저는 가수가 되고 싶어요.

3 (보기) のように「**-고**」を使い、一文にしてみましょう。

(보기) 밥을 먹다 / 영화를 보다 → 밥을 먹고 영화를 봅니다.

(1) 햄버거를 먹다/ 콜라를 마시다 → _____
　　ハンバーガー　　　　コーラ

(2) 치마를 입다 / 구두를 신다 → _____
　　スカート　　　革靴　履く

(3) 노래를 듣다 / 청소를 하다 → _____
　　歌　　　　　掃除

(4) 숙제를 하다 / 책을 읽다 → _____

(5) 이 배우는 멋있다 / 연기를 잘하다 → _____
　　　格好いい　　　演技　上手だ

1 次はりさの「やりたいことリスト **(버킷리스트)** 」です。(보기) のように「**-고 싶어요**」を使い、言ってみましょう。

한국 친구를 만나다

유럽 여행을 하다
ヨーロッパ旅行

오로라를 보다
オーロラ

댄스를 배우다

강아지를 키우다
飼う

작가가 되다
作家

(보기)　한국 친구를 만나고 싶어요.

2 自分の「やりたいことリスト **(버킷리스트)** 」を作り、「**-고 싶어요**」を使って発表してみましょう。

行きたいところ

食べたいもの

見たいもの

習いたいこと

何になりたい？

教室活動はp.116

CD는 1500엔이에요.

CDは1500円です。

유토 수민 씨, 그거 누구 CD예요?

수민 아이즈원 새 앨범이에요. 노래가 정말 좋아요.

유토 그래요? 얼마예요?

수민 이 CD는 1500엔이에요. 특별 버전은 2000엔이에요.

유토 이따가 CD 가게에 같이 가요.

수민 네, 좋아요. 저는 특별 버전도 사고 싶어요.

単 語 & 表 現

- 누구 CD 誰のCD。「の」の「의」は会話で よく省略される
- 새 新しい〜
- 앨범 アルバム
- 얼마예요? いくらですか
- 이 この。「その」は「그」、「あの」は「저」
- 엔 円。「ウォン」は「원」

- 특별 버전 特別バージョン
- 이따가 （今日中の）後で
- 가게 ショップ、店
- 같이 [가치] 一緒に
- 가요 行きましょう。 「-아/어요」には「〜しましょう」の意味もある

文型

いち、に、さん、し…
일, 이, 삼, 사 …

・漢字読みの「漢字語数詞」にあたる。
・日付、値段、電話番号などを言うときに使う。

0	1	2	3	4	5	6	7	8	9	10
공/영	일	이	삼	사	오	육	칠	팔	구	십

主に、電話番号には「공」を、点数やスコア関連には「영」を使う。

百 백　千 천　万 만

例) 12 (십이)　16 (십육)　78 (칠십팔)　355 (삼백오십오)　1200 (천이백)

1.날짜 (日付) : 몇 월 며칠이에요? (何月何日ですか。)　〈発音〉몇 월[며월]

1月	2月	3月	4月	5月	6月	7月	8月	9月	10月	11月	12月
일월	이월	삼월	사월	오월	유월	칠월	팔월	구월	시월	십일월	십이월

例) A: 생일이 언제예요? (誕生日はいつですか。)
　　B: 6(유)월 15(십오)일이에요.

一千、一万の「一」は省略して、「千、万」だけ言うよ

제 생일은
시월 이십사 일이에요.

2.가격 (値段) : 얼마예요? (いくらですか。)

500ウォン(오백 원)　1000ウォン(천 원)　10000円(만 엔)

例) A: 이 가방은 얼마예요? (このカバンはいくらですか。)
　　B: 52,800(오만 이천팔백)원이에요.

3.전화번호 (電話番号) : 전화번호가 몇 번이에요? (電話番号は何番ですか。)

例) 010-1234-5768이에요.
(공일공의 일이삼사의 오칠육팔)
〈発音〉　[에]　　　[에]

「층 (階)」、時間の「분 (分)」、授業の「교시 (時限)」にも使えるよ！あと、単位の킬로그램 (kg)・밀리리터 (ml)・센티미터 (cm) などにも使うんだ！

65

1 次の数字をハングルで書き、言ってみましょう。

(보기)　63階　　→　　<u>육십삼 층</u>

(1) 28階　_____　　(2) 10月9日　_____

(3) 12番　_____　　(4) 167㎝　_____

(5) 50分　_____　　(6) 授業3限　_____

2 「**얼마예요?**」と質問し、答えてみましょう。

(보기) 인절미 빙수 7,900원 きなこもちかき氷	(1) 초코바 800원	(2) 볼펜 1,000원 ボールペン
(3) 립스틱 7000원 リップスティック	(4) 한국어 책 2,000엔	(5) 팬라이트 3,500엔 ペンライト

(보기)　<u>인절미 빙수는 칠천구백 원이에요.</u>

(1) _____　　(2) _____

(3) _____　　(4) _____

(5) _____

3 電話番号は何番ですか。答えてみましょう。

(보기)　02-325-123　　→　　공이의 삼이오의 일이삼이에요.

(1) 090-34-7892　_____

(2) 019-250-353　_____

(3) 353-914-062　_____

(4) 내 전화번호 (私の電話番号)　_____

最後の数字によって
「-예요/이에요 (です)」は
変わるよ

66

1 次のメモを見て日付について話してみましょう。

> (보기)　12월 25일은 무슨 날이에요?　　→　　크리스마스예요.
> 　　　　　　　　　　何の日　　　　　　　　　　　クリスマス

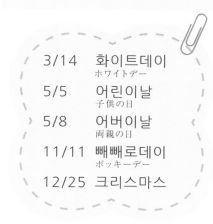

3/14	화이트데이
	ホワイトデー
5/5	어린이날
	子供の日
5/8	어버이날
	両親の日
11/11	빼빼로데이
	ポッキーデー
12/25	크리스마스

⑴ 5월 5일은 무슨 날이에요?

⑵ 11월 11일은 무슨 날이에요?

⑶ 화이트데이는 언제예요?
　　　　　　　　　　いつ

⑷ 한국에는 어버이날이 있어요?

⑸ 自由に質問を作って話してみましょう。

2 (보기) のように適切な単位表現を入れて答えてみましょう。

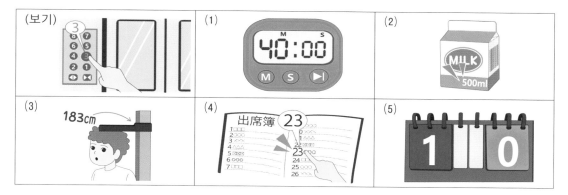

(보기) A : 몇 층이에요?　　　　　　　B : <u>삼 층이에요.</u>

⑴ A : 몇 분이에요?　　　　　　　　B : _____

⑵ A : 몇 밀리(리터) 예요?　　　　　B : _____

⑶ A : 몇 센티(미터) 예요?　　　　　B : _____

⑷ A : 몇 번이에요?　　　　　　　　B : _____

⑸ A : 몇 대 몇이에요?　　　　　　　B : _____
　　　　　対

教室活動はp.117

처음으로 윷놀이를 했어요.

初めてユンノリをしました。

유토 　수민 씨, 저 어제 처음으로 윷놀이를 했어요.

수민 　오! 어땠어요? 재미있었어요?

유토 　네, 생각보다 훨씬 재미있었어요.

수민 　다음에 윤호하고 리사도 같이 해요.

유토 　좋아요! 그걸 라이브로 방송할까요?

수민 　음…, 제 얼굴은 안 나오게 부탁합니다.

単語 & 表現

- 어제　昨日
- 처음으로　初めて（副詞）
- 윷놀이 [윤노리]　ユンノリ。韓国の伝統の遊び
- 어땠어요?　どうでしたか
- 생각보다　思ったより。「-보다」は「〜より」
　例）저보다（私より）
- 훨씬　ずっと
- 다음에　今度、次に
- 그걸　それを「그것（それ）＋을（を）」の縮約形。
　「これを」は「이걸」、「あれを」は「저걸」
- 라이브　ライブ
- 방송할까요?　放送しましょうか
- 음　うーん
- 얼굴　顔
- 안 나오게　出ないように。「나오게」は「出るように」

1 （動詞）- ました、（形容詞）- かったです / でした

-았어요 / -었어요

・日常会話でよく使う過去形。
・質問は「-았/었어요?」でイントネーションを上げる。
・動詞と形容詞の活用は、第5課で習った「-아/어요」を→「-았/었어요」にすれば良い。
・フォーマルな言い方は、「-았/었습니다」「-았/었습니까?」

> 現在形の「-요」のところを、「-ㅆ어요」にすれば簡単に過去形にできるよ！

活用：動詞・形容詞

	基本形	現在形 （〜ます・です）	過去形 （〜ました・かったです）
語幹に「았 / 었」	좋다 （良い）	좋아요	좋았어요
	먹다 （食べる）	먹어요	먹었어요
重なったり合体する	가다 （行く）	가요	갔어요
	보다 （見る）	봐요	봤어요
	마시다 （飲む）	마셔요	마셨어요
- 하다	일하다 （働く）	일해요	일했어요

例) 어제는 학교에 갔어요.　（昨日は学校に行きました。）
　　커피를 마셨어요?　　　（コーヒーを飲みましたか。）

2 （名詞）〜でした

-이었어요 / 였어요

活用：最後の文字にパッチムあり→4文字の「-이었어요」、
　　　最後の文字にパッチムなし→3文字の「-였어요」
　　　＊フォーマルな形は「-이었습니다」、「-였습니다」

例) 그곳은 강이었어요.　　　（そこは川でした。）
　　제 친구는 수영선수였어요.　（私の友達は水泳選手でした。）

제 여자 친구였어요.

1 (보기) のように過去形にしましょう。

	~ました、~かったです、~でした	
	-았/었어요	-았/었습니다
(보기) 가다 (行く)	갔어요	갔습니다
(1) 읽다 (読む)		
(2) 놀다 (遊ぶ)		
(3) 오다 (来る)		
(4) 기다리다 (待つ)		
(5) 복습하다 (復習する)		
(6) 비싸다 (値段が高い)		
(7) 맛있다 (おいしい)		
(8) 중학생 (中学生)		

2 下線部を過去形に変えて質問と答えを書いてみましょう。

(보기) 어제는 친구하고 <u>놀다</u> → <u>놀았어요?</u> ー 네, <u>놀았어요</u>

(1) 어제 영화를 <u>보다</u>　　　　 → _____ ー 네, _____

(2) 어제는 게임을 안 <u>하다</u>　　 → _____ ー 네, _____

(3) 콘서트 회장까지 <u>멀다</u>　　 → _____ ー 아뇨, _____
　　　コンサート　会場

(4) 학교가 끝나고 숙제를 <u>하다</u> → _____ ー 아뇨, _____
　　　　　　終わって

(5) 그 책을 끝까지 <u>읽다</u>　　　 → _____ ー 네, _____
　　　　　最後まで

(6) 그 사람은 옛날에 <u>배우이다</u> → _____ ー 네, _____
　　　　　　昔

1 次はユンホの週末の話です。下線を「-았/었어요」に変えてから質問に答えてみましょう。

저는 오늘 시부야에 〈보기〉<u>갔습니다.</u> 시부야에서 다른 학교 친구하고
　　　　　渋谷　　　　　（갔어요）

<u>만났습니다.</u> 친구와 같이 액션 영화를 <u>봤습니다.</u> 영화를 보면서 팝콘을
① (　　　　　)　　　　アクション　② (　　　　　)　　　見ながら ポップコーン

<u>먹었습니다.</u> 영화를 보고 카페에 갔어요. 그런데 줄이 너무 너무 <u>길었습니다.</u>
③ (　　　　)　　　　　　　　　　　　　　ところで 列　すごく　　長かったです ④ (　　　　　　)

한 시간이나 <u>기다렸습니다.</u> 우리는 영화 이야기를 하면서 버블티를 <u>마셨습니다.</u>
1時間も　⑤ (　　　　　)　　　　　　　　　しながら　　　　⑥ (　　　　　)

<u>맛있었습니다.</u> 좋은 <u>하루였습니다.</u>
⑦ (　　　　　)　良い 一日 ⑧ (　　　　　)

(1) A : 윤호는 오늘 어디에 갔어요?　　　B : _____

(2) A : 윤호는 무슨 영화를 봤어요?　　　B : _____

(3) A : 윤호는 누구하고 영화를 봤어요? B : _____

(4) A : 윤호는 카페에서 뭘 마셨어요?　 B : _____

2 友達に質問して答えを書いてみましょう。

나의 질문 (私の質問)	친구의 대답 (友達の答え)
(보기) 어제 학교에 갔어요?	네 , 갔어요 . (または) 아뇨 , 안 갔어요
(1) 오늘 아침을 먹었어요? 朝食	
(2) 주말에 한국어 공부를 했어요?	
(3) 이번 주에 부활동이 있었어요? 今週	
(4) 이번 달에 영화를 봤어요? 今月	
(5) 어렸을 때 꿈이 뭐였어요? 子供のとき 夢	
(6) 自由に質問を作ってみましょう	

教室活動はp.118

제9과 매일 음악을 들어요.

毎日音楽を聴きます。

수민　유토 씨, 뭐 들어요?

유토　케이팝이요. 요즘 매일 들어요.

수민　저도 자주 들어요. 스트레스에는 음악이 최고예요.

유토　맞아요. 스트레스를 받을 때는 특히 이 노래가 좋아요.

수민　저도 좋아해요. 멜로디도 좋고 가사도 예뻐요.

유토　공감백배예요.

単語 & 表現

- 들어요?　聴きますか
- 케이팝이요　K-POPです。「K-POP (を聴きます)」の
  くりかえしの表現を避ける表現で、パッチムの有無により
  「名詞＋(이)요」が使える
- 스트레스　ストレス。「ストレスを受ける／解消する」は
  「스트레스를 받다／풀다」
- 최고　最高

- 맞아요　その通りです。相づち表現
- 받을 때　受けるとき、もらうとき
- 특히 [트키]　特に
- 멜로디　メロディー
- 가사　歌詞
- 예뻐요　きれいです、かわいいです
- 공감백배〈共感百倍〉　すごく共感

文型

1 「ㄷ」不規則活用

・語幹の最後に「ㄷ」パッチムが付いている動詞の一部は、「-아/어」に活用する際に
「ㄷ」→「ㄹ」に変わる。

基本形	語幹母音「ㅏ,ㅗ以外」＋「어요」		パッチム「ㄷ」→「ㄹ」に
듣다 (聴く)	듣 + 어요	➡	들어요 (聴きます)
걷다 (歩く)	걷 + 어요		걸어요 (歩きます)

例) 저는 매일 발라드를 들어요.　　　(私は毎日バラード曲を聴きます)

　　아침에 공원을 30분 정도 걸어요.　　(朝、公園を30分ぐらい歩きます。)

しかし、規則活用もあります

＊ 닫다 (閉める) → 닫아요
　받다 (もらう) → 받아요
　믿다 (信じる) → 믿어요

不規則と規則を
区別しましょう。

2 「ㅡ」不規則活用

・動詞や形容詞の語幹の最後が母音「ㅡ」で終わる場合、「-아/어」に活用する際、母音「ㅡ」
が脱落する。

基本形	「ㅡ」脱落		「ㅡ」の前の文字の母音によって	-아/어요
바쁘다 (忙しい)	바ㅃ		❶「ㅏ·ㅗ」→「ㅏ」を付ける	바ㅃ + ㅏ요 → 바빠요
슬프다 (悲しい)	슬ㅍ	→	❷ それ以外の母音は「ㅓ」を付ける	슬ㅍ + ㅓ요 → 슬퍼요
쓰다 (書く)	ㅆ		❸ 基本形が2文字のときは「ㅓ」を付ける	ㅆ + ㅓ요 → 써요

例) 가족 중에서 엄마가 제일 바빠요.　　(家族の中でママが一番忙しいです。)

　　그 영화는 너무 슬퍼요.　　　　　　(その映画はとても悲しいです。)

　　일기를 매일 써요?　　　　　　　　(日記を毎日書きますか。)

1 次の動詞・形容詞を「**-아/어요**」にしてみましょう。

	-아/어요? (〜ますか)	-아/어요 (〜ます)	안 - (〜ません)
(보기) 묻다 (尋ねる)	물어요?	물어요	안 물어요
(1) 걷다 (歩く)			
(2) 듣다 (聴く)			
(3) 믿다 (信じる)			
(4) 바쁘다 (忙しい)			
(5) 기쁘다 (うれしい)			
(6) 크다 (大きい)			
(7) 배(가) 고프다 (お腹が空く)			

2 次の下線部を「**-아/어요**」にしてみましょう。

(보기) 저는 매일 10분씩 걷습니다. → 걸어요
　　　　　　ずつ

(1) 저는 매일 케이팝을 듣습니다. → ＿＿＿＿＿＿

(2) 이 영화는 정말 슬픕니다. → ＿＿＿＿＿＿

(3) 이번 주는 바쁩니까? → ＿＿＿＿＿＿

(4) 저는 제 친구를 믿습니다. → ＿＿＿＿＿＿

(5) 오빠는 키가 큽니까? → ＿＿＿＿＿＿
　　　身長

1 次は、悠人の昨日のことです。文章を読んで質問に答えてみましょう。

저는 어제 정말 바빴어요. 아침에는 공원을 산책했어요. 8000보를 걸었어요.
公園 / 歩

점심에는 친구하고 영화관에서 영화를 봤어요. 영화는 정말 슬펐어요.
昼

그래서 많이 울었어요. 친구가 저를 보고 웃었어요. 저녁에는 유튜브로
泣きました / 笑いました / 夕方

게임 방송을 했어요. 구독자가 저한테 게임 방법을 물었어요. 밤까지 방송을
（You-Tubeの）視聴者 / やり方 / 夜

했어요. 밤에는 배가 너무 고팠어요. 그래서 라면하고 빵을 먹었어요.
ラーメン / パン

(1) 유토 씨는 어제 아침에 뭐 했어요? _____

(2) 유토 씨는 공원을 얼마나 걸었어요? _____
どのくらい

(3) 영화는 어땠어요? _____

(4) 유토 씨는 어젯밤에 뭐 했어요? _____
昨夜

(5) 구독자는 유토 씨에게 뭘 물었어요? _____

(6) 유토 씨는 방송을 하고 뭘 먹었어요? _____

(7) 여러분은 어제 바빴어요? 뭐 했어요? _____

教室活動はp.119

今、何時ですか。

수민　윤호 씨, 지금 몇 시예요?

윤호　지금이요? 여섯 시 십오 분이에요.

수민　벌써요? 곧 알바 시간이에요.

윤호　몇 시부터예요? 안 늦었어요?

수민　일곱 시부터예요. 지금 가면 괜찮아요.

윤호　알바 힘내세요! 파이팅!

単語 & 表現

- 몇 시　何時
- 벌써　もう、すでに
- 곧　すぐ
- 알바　アルバイト。「아르바이트」の縮約形
- 시간　時間
- 부터　助詞（時間）から

- 늦었어요?　遅れましたか。基本形「늦다」
- 가면　行けば
- 괜찮아요　大丈夫です
- 힘내세요　頑張ってください、元気出してください
- 파이팅　ファイト。応援するときよく使う。
  「화이팅」も使う

一つ、二つ、三つ、四つ…

하나, 둘, 셋, 넷…

100以上は
漢字語数詞で
言うよ。

・ハングル読みの「固有語数詞」で、一つ～九十九まである。

・個数、年齢、時間などを言うときに使う。

一つ	二つ	三つ	四つ	五つ	六つ	七つ	八つ	九つ	十
하나	둘	셋	넷	다섯	여섯	일곱	여덟	아홉	열

스물 (20)　서른 (30)　마흔 (40)　쉰 (50)　예순 (60)　일흔 (70)　여든 (80)　아흔 (90)

*次の5つは、後ろに単位が付くと形が変わります。

하나 → 한　둘 → 두　셋 → 세　넷 → 네　스물 → 스무

例) 하나 개 (×) → 한 개 (○)

1. 개수 (個数) : **몇 개예요?** (何個ですか。)

   2個 (두 개)、10個 (열 개)、20個 (스무 개)

   例) 호떡 한 개 주세요. (ホットク一つ下さい。)

2. 나이 (年齢) : **몇 살이에요?** (何歳ですか。)

   16歳 (열여섯 살)、23歳 (스물세 살)、45歳 (마흔다섯 살)

   例) 남동생은 열한 살입니다. (弟は11歳です。)

   時間を言うときは、気を付けてね！

固有語＋時
漢字語＋分

3. 시간 (時間) : **몇 시예요?** (何時ですか。)

朝	昼	夕方	夜	深夜・早朝
아침	점심	저녁	밤	새벽

例) 지금은 아침 아홉 시 십 분입니다. (今は朝9時10分です。)

★その他 : **명** (名)、**잔** (杯)、**마리** (匹)、**권** (冊)、**장** (枚)、**번** (回数)、**자루** (本：ペンや鉛筆の場合)、**병** (本：瓶やペットボトルの場合) など

例) A: 몇 명이에요?　　　　(何名ですか。)

　　B: 두 명이에요.　　　　(2名です。)

　　A: 서울에 몇 번 갔어요?　(ソウルに何回行きましたか。)

　　B: 한 번 갔어요.　　　　(1回行きました。)

1 （보기）のように年齢を言ってみましょう。

> （보기） （14歳）　内 동생은 <u>열네 살이에요.</u>

(1) （20歳）유토 씨는 _____

(2) （15歳）리사 씨는 _____

(3) （17歳）수민 씨는 _____

(4) （34歳）선생님은 _____

(5) （1歳）고양이 루루는 _____

2 時計を見て「**몇 시예요?**」と質問し、答えてみましょう。

（보기）　(1)　(2)

<u>　두 시 이십 분이에요.　</u>　_____　_____

(3)　(4)　(5)

_____　_____　_____

3 （보기）のように、数字をハングルで書いて言ってみましょう。

> （보기）　飴15個　→　<u>사탕 열다섯 개</u>

(1) 水3杯 _____　(2) 鉛筆5本 _____

(3) 本11冊 _____　(4) お茶2本 _____

(5) 猫4匹 _____　(6) CD1枚 _____

1 次は悠人の一日です。下線部をハングルで書いて読んでみましょう。

저는 매일 8시에 일어나요. 하지만 1교시 수업이 있을 때는 7시에 일어나요.
(보기)(여덟 시) 起きます ① ( ) ある時 ② ( )

점심은 보통 학교 식당에서 먹어요. 오늘은 빵 2개하고 커피 1잔을 마셨어요.
③ ( ) ④ ( )

저녁에는 친구들 5명하고 노래방에 갔어요. 저는 아르바이트를 일주일에 3번 해요.
~達 ⑤ ( ) カラオケ 一週間に ⑥ ( )

아르바이트는 하루에 4시간 정도 해요. 주말에는 쉬어요. 토요일에는 저녁
⑦ ( ) 程度

9시부터 유튜브로 게임 방송을 해요. 이번 달에 채널 등록자수가 30000 명이
⑧ ( ) チャンネル登録者数 ⑨ ( )

넘었어요. 정말 기뻐요.
超えました うれしいです

2 友達に質問して答えを書いてみましょう。

(보기) Q : 만화책은 몇 권 있어요? → A : 열 권 있어요.

⑴ Q : 오늘 몇 시에 일어났어요?　　　A : _____

⑵ Q : 오늘은 수업이 몇 시에 끝나요?　A : _____

⑶ Q : 내일 학교에 몇 시에 와요?　　　A : _____

⑷ Q : 형제/친한 친구는 몇 명 있어요?　A : _____

⑸ Q : 유튜브는 하루에 몇 시간 봐요?　A : _____

⑹ Q : 한 달에 몇 번 영화를 봐요?　　　A : _____
ひと月に　何回

⑺ Q : 게임 소프트는 몇 개 있어요?　　A : _____
ソフト

⑻ Q : (自由に質問してみましょう。)　A : _____

教室活動はp.120

79

급식 給食

一日中、学校にいる生徒にとって一番の楽しみはやはり「급식(給食)」でしょう。日本の中学校や高校はお弁当のところが多いですが、韓国ではほとんど給食です。特に高校では「야자」もあるので、

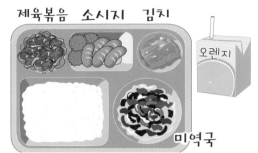

제육볶음　소시지　김치

오렌지

미역국

昼食と夕食を給食で食べます。毎月メニュー表が配られると、もらってすぐに好きなメニューに○を付けておく生徒が多いです。おやつや果物、デザート類がある日をみんな楽しみにしたりします。

給食はご飯やスープ、おかずを乗せた「밥차(飯車)」が教室に来て、給食当番が配る形式と、食堂に行って食べる形式があります。食堂に行く場合は受験がある3年生が優遇されることが多いです。学校によっては3年生は3時限後、早めに食べられたりもします。しかし、配られる順番は先着順なので、昼休みや夕食の休みを少しでも長く楽しもうと、チャイムが鳴る前からダッシュする準備をする生徒も多いです。それで給食前の授業を1～2分早めに終わらせてくれる先生が人気です!(笑)

昼休みや夕食の休みには放送部がリクエストされた曲を流してくれる学校が多いので、それがまた学校生活のささやかな楽しみになっています。

오～ 그날 저녁에 핫도그도 나와!

앗싸! 이번 주 스파게티!!!

학교 밖에서는? 学校の外では?

　皆さんの中にも塾や予備校に通ったり、習い事をする人が多いと思います。韓国の生徒も大体そうです。特に高校生は学校にいる時間がほとんどなので、学校の外でリフレッシュできる時間はとても貴重です。

　生徒の人気スポットはやはりおいしい物が食べられる食堂やカフェ、友達と一緒にゲームすることができるネットカフェ(PC방)、ワンコインで歌えるコインカラオケ(코인 노래방)です。また、謎を解いて部屋から脱出する、脱出ゲームカフェも人気です。そして最近は自習室と違っておしゃれなスペースで勉強できる勉強カフェ(스터디 카페)も大人気です。また、生徒はさまざまな割引制度で映画がとても安く観られるので映画館に行く生徒も多いです。

　アイドルが好きな生徒はファンクラブ活動を楽しみます。音楽番組の収録現場に行って応援したり、サイン会やイベントに参加します。

　好きなことをして、友達とおいしい物を食べながらたくさんおしゃべりをして、楽しく遊ぶ…! 適度なリフレッシュは大事ですね。

제11과 한국은 야자가 있지만 일본은 없어.

韓国は夜間自習があるけど、日本はないよ。

리사 윤호 오빠, 야자가 뭐예요?

윤호 야간 자율 학습이야. 수업 후에 학교에서 자습하는 거야.

리사 학교에서요? 몇 시까지요?

윤호 학교마다 다르지만 보통 밤 10시까지 해.

리사 네? 너무 늦어요.

윤호 걱정 마. 한국은 야자가 있지만 일본은 없어.

単語 & 表現

- 오빠　お兄さん。親しい年上の男性を呼ぶときにもよく使う
- 야간　夜間
- 자율 학습　自習、自律学習
- 자습하다 [자스파다]　自習する
- -하는 거야　～するものなんだよ、することさ
- -에서요?　～でですか。聞き返しを表す「-(이) 요?」表現で、助詞にも付けることができる

- -마다　～によって、～ごとに。
  例) 사람마다 (人によって)
- 다르지만　違うけど、異なるけど。基本形は「다르다」
- -까지　助詞「～まで」
- 늦어요　遅いです
- 걱정 마　心配しないで。動詞「걱정하다」から「걱정하지 마」も使う

82

文型

1　パンマル（ため口）

반말 표현

・親友どうしまたは年下に使う表現。

・「**반말**」の「**반**」は「半分」の意味で、短い言葉を表す。

活用：① 動詞・形容詞は、「**-아/어요**」「**-았/었어요**」の「**요**」を取るとパンマルになる。

> 가<del>요</del>→ **가**　　갔어<del>요</del>→ **갔어**

난 토랑이야

例）어디 가?（どこ行くの？）── 집에 가.（家に帰る。）

活用：② 名詞は、パッチムあり→「**-이야**」　パッチムなし→「**-야**」

例）1학년이야.（1年生なんだ。）

가수야.（歌手なの。）

「私」の「저」は、
반말では「나」になるよ。

2　〜が、〜けど

-지만

・逆接表現：相反する二つの文をつなげるとき使う。

活用：① 動詞と形容詞は、語幹に「**-지만**」を付ける。
② 名詞は、パッチムの有無による。

	現在形	過去形
①動詞・形容詞	**- 지만**	**- 았 / 었지만**
②名詞	パッチムあり **- 이지만** パッチムなし **- 지만**	パッチムあり **- 이었지만** パッチムなし **- 였지만**

例）어제는 바빴지만 오늘은 안 바빠요.

（昨日は忙しかったですが、今日は忙しくありません。）

친구는 A형이지만 저는 B형이에요.

（友達はA型ですが、私はB型です。）

교토는 수도였지만 지금은 아니에요.

（京都は首都でしたが、今は違います。）

1 次の会話をパンマルに変えてみましょう。

> (보기)　A: 몇 반이에요?　　B: 2반이에요.
> クラス
>
> <u>　몇 반이야?　</u>　—　　<u>　2반이야.　</u>

(1) A: 이름이 뭐예요?　　　　　B: 최윤호예요.

　　<u>　　　　　　　　　　　</u>　—　<u>　　　　　　　　　　　</u>

(2) A: 주말에 뭐 해요?　　　　　B: 학원에 가요.

　　<u>　　　　　　　　　　　</u>　—　<u>　　　　　　　　　　　</u>

(3) A: 뭐 보고 싶어요?　　　　　B: 액션 영화를 보고 싶어요.

　　<u>　　　　　　　　　　　</u>　—　<u>　　　　　　　　　　　</u>

(4) A: 어렸을 때 꿈이 뭐였어요?　B: 가수였어요.

　　<u>　　　　　　　　　　　</u>　—　<u>　　　　　　　　　　　</u>

2 次を「-지만」を使い、一文にしてみましょう。

> (보기)　점심은 먹었다 / 간식은 안 먹었다 — <u>점심은 먹었지만 간식은 안 먹었어요.</u>
> 間食

(1) 사회 수업은 있다 / 수학 수업은 없다　　　→ <u>　　　　　　　　　　　　　</u>
　　社会

(2) 책은 읽었다 / 독후감은 아직 안 썼다　　　→ <u>　　　　　　　　　　　　　</u>
　　　　　　読書感想文

(3) 핑크색은 좋아하다 / 빨간색은 안 좋아하다 → <u>　　　　　　　　　　　　　</u>
　　ピンク色　　　　　　赤色

(4) 저는 키가 작다 / 동생은 키가 크다　　　　→ <u>　　　　　　　　　　　　　</u>
　　　　　　小さい

(5) 친구는 공부를 잘하다 / 저는 운동을 잘하다 → <u>　　　　　　　　　　　　　</u>

(6) 내일은 학교에 가다 / 모레는 쉬는 날이다　→ <u>　　　　　　　　　　　　　</u>
　　　　　　あさって　休みの日

もう一歩!

1 次は、ユナとキョンスが「**반말**」で話しています。会話を読んで (보기) のように「**-지만**」を使い、直してみましょう。

<윤아>

나는 16살이야.

고등학교 1학년이야.

내 꿈은 의사야.
　　　医者

주말에는 주로 책을 읽어.

나는 용돈을 받아.
　　　小遣い

아르바이트는 안 해.

<경수>

나는 17살이야.

난 고등학교 2학년.

내 꿈은 아이돌이야.

주말에는 주로 부활동을 해.

나는 용돈을 안 받아.

그래서 아르바이트를 해.

(보기)　윤아는 열 여섯 살이지만 경수는 열 일곱 살입니다.

⑴ 윤아는 고등학교 ＿＿＿＿＿＿＿＿＿＿ 경수는 ＿＿＿＿＿＿＿＿＿＿＿＿＿

⑵ 윤아의 꿈은 ＿＿＿＿＿＿＿＿＿＿＿ 경수는 ＿＿＿＿＿＿＿＿＿＿＿＿＿

⑶ 윤아는 주말에 주로 ＿＿＿＿＿＿＿ 경수는 ＿＿＿＿＿＿＿＿＿＿＿＿＿

⑷ 윤아는 용돈을 ＿＿＿＿＿＿＿＿＿＿ 경수는 ＿＿＿＿＿＿＿＿＿＿＿＿＿

⑸ 윤아는 아르바이트를 ＿＿＿＿＿＿＿ 경수는 ＿＿＿＿＿＿＿＿＿＿＿＿＿

2 日本と韓国の文化に関する内容を比較しながら話してみましょう。

(보기) (안 쉬다/ 쉬다) 일본은 크리스마스 때 안 쉬지만, 한국은 쉬어요.

⑴ (많이 하다 / 거의 안 하다)
　　　　　　ほとんど
　　일본 학생은 부활동을 ＿＿＿＿＿＿＿ 한국은 ＿＿＿＿＿＿＿＿＿＿＿

⑵ (오른쪽 / 왼쪽)
　　일본 자동차의 운전석은 ＿＿＿＿＿＿ 한국은 ＿＿＿＿＿＿＿＿＿＿＿
　　　　　自動車　　　運転席

⑶ (들고 먹다/ 안 들고 먹다)
　　持って食べる
　　일본 사람은 밥그릇을 ＿＿＿＿＿＿＿ 한국은 ＿＿＿＿＿＿＿＿＿＿＿
　　　　　　　　茶碗

教室活動はp.121

양념치킨은 포장해 주세요.

ヤンニョンチキンは持ち帰りでお願いします。

리사   윤호 오빠, 제가 주문할게요. 여기요!

점원   네, 주문하시겠어요?

리사   떡볶이 2인분하고 콜라 두 잔 주세요.

       그리고 양념치킨 한 마리 포장해 주세요.

점원   떡볶이 2인분, 콜라 두 잔, 양념치킨 한 마리는 포장이요?

       네, 알겠습니다.

리사   아! 그리고 무 많이 주세요.

単 語 & 表 現

- 주문할게요 　注文しますね。基本形は 「주문하다」 (注文する)
- 여기요 　すみません。店員を呼ぶとき使う
- 점원 　店員
- 주문하시겠어요? 　注文されますか
- 2 (이) 인분 　二人前
- 두 잔 　二杯。「一杯」は「한 잔」
- 양념치킨 　甘辛いソースで味付けした唐揚げ

- 한 마리 　一羽。ハーフサイズは「반 마리」、 「마리」は「~匹」
- 포장해 주세요 　包装してください。 基本形は「포장하다」、持ち帰りしたいとき使う
- 포장이요? 　包装ですね?お持ち帰りですね?
- 그리고 　それから、そして
- 무 　大根。치킨には甘酸っぱい大根漬物が 付く場合が多い

1 〜してください　　〜していただけますか

-아/어 주세요　　-아/어 주시겠어요?

· 何かを頼むときに使う依頼表現。

· 「-아/어 주시겠어요?」のほうが「-아/어 주세요」より丁寧な表現。

活用：① 動詞＋**아/어 주시겠어요?** (〜していただけますか)

　　　② 名詞＋**주세요/주시겠어요?** (〜ください)

基本形	-아/어 주세요. (〜してください)	-아/어 주시겠어요? (〜していただけますか)
찍다 （撮る）	찍어 주세요.	찍어 주시겠어요?
닫다 （閉める）	닫아 주세요.	닫아 주시겠어요?
치우다 （片づける）	치워 주세요.	치워 주시겠어요?

例) 사진을 찍어 주세요.　　（写真を撮ってください。）

　　문 좀 닫아 주시겠어요?　（ドアを閉めていただけますか。）

　　물 좀 주세요.　　（ちょっとお水ください。）

> 頼むとき、「좀」を入れると
> ニュアンスを和らげることが
> できるよ。
> 動詞の前に入れてね。

2 〜してくれ

-아/어 줘

· 依頼のパンマル表現

「-아/어요」のところを
「줘」に入れかえよう！

活用：① 動詞＋**아/어 줘** (〜してくれ)

　　　例) 숙제 좀 가르쳐 줘. (宿題教えて。)

　　② 名詞＋**줘** (〜ちょうだい)

　　　例) 물 좀 줘.　　（ちょっとお水お願い。）

　　　연락 줘.　　（連絡ちょうだい。）

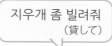
지우개 좀 빌려줘
（貸して）

오키! (ok)

1 絵を見て〈보기〉のように「**-주세요**」と言ってみましょう。

| 물 | 숟가락 | 젓가락 | 물수건 | 치즈핫도그 | 치킨 한 마리 | 티켓 두 장 |

〈보기〉　<u>물수건</u> 주세요.

2 〈보기〉のように依頼表現に変えてみましょう。

	-아/어 주세요 （～してください）	-아/어 주시겠어요? （～していただけますか）
〈보기〉　사진을 찍다 （写真を撮る）	사진을 찍어 주세요	사진을 찍어 주시겠어요?
(1) 가르치다 （教える）		
(2) 읽다 （読む）		
(3) 사인하다 （サインする）		
(4) 통역하다 （通訳する）		
(5) 치우다 （片づける）		
(6) 문을 열다 （ドアを開ける）		
(7) 책을 빌리다 （本を借りる）		
(8) 사진을 보이다 （写真を見せる）		
(9) 가방을 들다 （かばんを持つ）		
(10) 불을 켜다 （電気をつける）		

1 絵を見て〈보기〉のように依頼表現を使って言ってみましょう。

〈보기〉 너무 덥습니다. 교실에 에어컨이 있습니다. → <u>에어컨 좀 켜 주세요.</u>
　　　　 暑いです

(1) 연예인이 있습니다. 사인을 받고 싶습니다. → ＿＿＿＿＿＿＿＿ 주세요.

(2) 길을 잘 모릅니다. 지나가는 사람이 있습니다. → ＿＿＿＿＿＿ 주시겠어요?
　　　　　　　　　　　　　通行人

(3) 짐이 많아요. 회의실에 들어가고 싶어요. → ＿＿＿＿＿＿＿＿＿
　　荷物　　　　　　会議室　　 入りたいです

(4) 저 가방이 예뻐요. 가까이서 보고 싶어요. → ＿＿＿＿＿＿＿＿＿
　　あの　　　　　　　　　近くで

(5) 식당에 왔어요. 그런데 자리에 아직 그릇이 있어요. → ＿＿＿＿＿＿＿＿＿
　　　　　　　　　　　　席　　　　 食器

2 次の文を読んで友達にため口で頼んでみましょう。

〈보기〉 수학여행을 갔어요. 다른 친구에게 사진을 부탁하고 싶어요.
　　　 修学旅行
　　　　　　　　　　　　　　　　 → <u>사진 좀 찍어 줘.</u>

(1) 글씨를 틀렸어요. 지우개가 없어요. → ＿＿＿＿＿＿＿＿＿
　　文字　　間違いました

(2) 너무 덥습니다. 창문을 열고 싶습니다. → ＿＿＿＿＿＿＿＿＿
　　　　　　　　　 窓

(3) 빵을 사고 싶어요. 지갑이 없어요. → ＿＿＿＿＿＿＿＿＿
　　　　　　　　　 財布

(4) 수학 문제를 모르겠어요. 친구는 수학을 잘해요. → ＿＿＿＿＿＿＿＿＿
　　　問題

教室活動はp.122

明日映画見ますか。

유토 수민 씨, 내일 시간 있어요?

수민 네, 두 시 이후에는 괜찮아요. 왜요?

유토 그럼 내일 영화 볼래요? 봉준호 감독의 영화가 개봉했어요.

수민 아! 저도 그 영화 보고 싶었어요.

유토 잘됐네요! 그럼 영화 보고 같이 저녁도 먹을래요?

수민 좋아요. 식당은 제가 검색해 볼게요.

 単 語 & 表 現

- 이후 以降
- 그럼 だったら、では
- 볼래요? 見ますか
- 봉준호 韓国の映画監督の名前
- 감독 監督
- 개봉했어요〈開封─〉 公開されました
- 잘됐네요 よかったです

- 저녁 夕飯
- 먹을래요? 食べますか
- 제가 私が。「私は」は「저는」
- 검색해 볼게요 調べてみますね
  「검색하다 (検索する)」＋「보다 (みる)」が
  複合した形

1 （これから）～しますか？

- (으)ㄹ래요?

・相手の意向を聞く表現。一緒に何かをしたいときにも使う。
・ため口表現は「-(으)ㄹ래?」、目上の人には「-(으)실래요?」で話す。
・1人称の意志を表す「-(으)ㄹ래요（～します）」も使う。

活用① 動詞の語幹の最後にパッチムあり→「-을래요?」
　　　　　　　　　　　　　　　　　なし→「-ㄹ래요?」

　例）（パッチムあり：먹다）　A：떡볶이 먹을래?　──　B：미안해, 용돈이 없어.

　　　　　　　　　　　　　　　（トッポッキ食べる？）　　　（ごめん。お小遣いがない。）

　　　（パッチムなし：보다）　A：오늘 영화 같이 볼래요?　──　B：좋아요. 봐요.

　　　　　　　　　　　　　　　（今日映画を一緒に見ますか？）　　（いいですよ。見ましょう。）

活用② 動詞の語幹の最後が「ㄹ」パッチム、「ㄷ」パッチムの場合

　＊「ㄹ」パッチムは脱落 :
　　만들다（作る）　→ 만드+ㄹ래요 → **만들래요?**
　例）케이크를 같이 만들래요?（ケーキを一緒に作りますか。）

　＊「ㄷ」パッチム→「ㄹ」に :
　　듣다（聞く）　→ 들+을래요? → **들을래요?**
　例）무슨 음악을 들을래요?（何の音楽を聴きますか。）

> 友達によく使うので
> いっぱい話してみてね

> 같이 들을래?

1 次の動詞を「-(으)ㄹ래(요)?」表現にしてみましょう。

	- (으)ㄹ래요? （〜ますか？）	- (으)ㄹ래? （〜する？）
(보기) 가다 (行く)	갈래요?	갈래?
(1) 만나다 (会う)		
(2) 먹다 (食べる)		
(3) 읽다 (読む)		
(4) 만들다 (作る)		
(5) 놀다 (遊ぶ)		
(6) 듣다 (聴く)		
(7) 걷다 (歩く)		
(8) 게임하다 (ゲームする)		

2 かっこの動詞を「-(으)ㄹ래요?」表現に変えてみましょう。

(보기)　A：시험이 끝나고 같이 영화 (보다)　<u>볼래요?</u>　　B：네 , 좋아요.

(1) A: 카페에서 같이 (공부하다) ＿＿＿＿＿＿＿＿＿ B: 네, 같이 해요.

(2) A: 주말에 수족관에 (가다) ＿＿＿＿＿＿＿＿＿ B: 미안해요. 약속이 있어요.
　　　　　　水族館

(3) A: 케이크를 (만들다) ＿＿＿＿＿＿＿＿＿ B: 주말에 같이 만들어요.
　　　ケーキ

(4) A: 이 과자 (먹다) ＿＿＿＿＿＿＿＿＿ B: 고마워요.
　　　お菓子　　　　　　　　　　　　　ありがとう

(5) A: 역 앞에서 (만나다) ＿＿＿＿＿＿＿＿＿ B: 네, 그래요.

(6) A: 우리 집에서 (게임하다) ＿＿＿＿＿＿＿＿＿ B: 좋아요.

1 絵を見て（보기）のように「-(으)ㄹ래요?」を使って会話を完成してみましょう。

(보기) 7NIGHT Action Movie	(1) MENU COFFEE & DRINKS · AMERICANO · CAPPUCCINO · MACCHIATO · ESPRESSO · MOCHA · HOT CHOCOLATE · WHITE CHOCOLATE · VANILLA TEA · GREEN TEA	(2)
(3) Mango "망고빙수"	(4) D-1 내일 시험...	(5)

(보기)　A: 2시 영화 <u>볼래요</u>?　　B: 네, 좋아요.

(1) A: 뭐 _____?　　　　　　B: 저는 카페라떼 마실래요.

(2) A: 이 노래 같이 _____?　　B: 고마워요. 저도 듣고 싶었어요.

(3) A: 뭐 _____?　　　　　　B: 저는 _____

(4) A: 내일 수족관에 같이 _____?　B: 미안해요. _____

(5) A: 토요일 몇 시에 _____?

　　B: _____ 봐요.

> 「봐요」は「会いましょう」
> 意味でもよく使うよ。

2 「-(으)ㄹ래?」を使って、上の問題1の会話を友達と「반말」で話してみましょう。

(보기)　A: 2시 영화 <u>볼래</u>?　　B: 응, 좋아.

(1) A: 뭐 _____?　　　　　　B: 난 카페라떼!

(2) A: 이 노래 같이 _____?　　B: 고마워. 나도 듣고 싶었어.

(3) A: 뭐 _____?　　　　　　B: 난 망고빙수.

(4) A: 내일 수족관에 같이 _____?　B: 미안. _____

(5) A: 토요일 몇 시에 _____?　　B: _____

教室活動はp.123

사이즈가 어떻게 되세요?

サイズはおいくつでしょうか。

(옷 가게에서)

점원   손님, 어서 오세요. 뭐 찾으세요?

유토   티셔츠를 찾고 있어요.

점원   이게 요즘 유행이에요. 어떠세요?

유토   디자인은 괜찮네요. 검은색도 있어요?

점원   네, 물론 있습니다. 사이즈가 어떻게 되세요?

유토   M (엠) 사이즈예요.

単 語 & 表 現

- 옷 가게에서   洋服店で
- 손님   お客様。「고객님 (顧客様)」も使う
- 어서 오세요   いらっしゃいませ
- 찾으세요?   お探しでしょうか。基本形「찾다」
- 티셔츠   Tシャツ
- 찾고 있어요   探しています
- 유행   流行、はやり
- 어떠세요?   いかがでしょうか

- 디자인   デザイン
- 검은색   黒色。「블랙 (ブラック)」も使う
- 물론   もちろん
- 사이즈가 어떻게 되세요?
  サイズはおいくつでしょうか。「어떻게 되세요?
  (どのようになられますか。)」は、名前や年齢などを
  丁寧に聞くときよく使う

1 （目上の人に）お～になりますか、お～ですか

- (으) 세요?

・目上の人（例：先生、親、先輩など）に（目上の人のことについて）質問するとき使う敬語表現。
・平叙形の「-(으)세요」は、目上の人について述べるとき使う。

活用① 動詞・形容詞は語幹のパッチムの有無により「-으세요 / 세요」。「ㄹ」パッチムは脱落

パッチムあり	읽다（読む）	+ 으세요 → 읽으세요?
パッチムなし	바쁘다（忙しい）	+ 세요 → 바쁘세요?
ㄹパッチム	脱落 살다（住む）	+ 세요 → 사세요?

例）선생님, 어디에 사세요?　（先生、どこに住んでいらっしゃいますか。）

　　아버지는 매일 바쁘세요.　（お父さんは毎日お忙しいです。）

> 韓国では身内の目上の方について話すときに敬語を使うよ。

活用② 形が決まっている敬語表現

먹다（食べる）/마시다（飲む）→ 드시다（召し上がる）　　→ 드세요
있다（いる）*　　　　　　　 → 계시다（いらっしゃる）　→ 계세요
자다（寝る）　　　　　　　　 → 주무시다（お休みになる）→ 주무세요

*人ではないときは「있으세요」を使う。例）약속 있으세요?（約束ございますか。）

例）선생님, 오늘 학교에 몇 시까지 계세요?（先生、今日学校に何時までいらっしゃいますか。）

活用③ 名詞はパッチムあり→「-이세요」
　　　　　　　　なし→「-세요」

例）영어 선생님이세요?　　　　　　 /　친구 어머니세요.
　（英語の先生でいらっしゃいますか）　（友達のお母さんでいらっしゃいます。）

活用④ 助詞の敬語表現

-은/는（～は）→ 께서는　　-이/가（～が）→께서　　-한테（～に）→ 께

例）숙제는 선생님께 냈어요.　（宿題は先生に出しました。）

2 （どうぞ）～してください

- (으) 세요

・丁寧に指示や案内をするときに使う表現。

例）여기 앉으세요.　（ここに座ってください。）

　　천천히 드세요.　（ゆっくり召し上がってください。）

1 次の語を敬語表現「-(으) 세요?」にして目上の人に質問してみましょう。

(1) 읽다 (読む) → 뭐 _____

(2) 다니다 (通う) → 어느 학교에 _____
　　　　　　　　　どの

(3) 좋다 (良い) → 언제가 _____

(4) 먹다 (食べる) → 아침에는 뭘 _____

(5) 있다 (いる) → 회사에는 몇 시까지 _____

(6) 자다 (寝る) → 보통 몇 시에 _____

2 下線部を「-(으) 세요」を使って、丁寧に指示や案内をしてみましょう。

(보기) 오른쪽으로 <u>가요</u> → <u>가세요</u>

(1) 내일 일찍 <u>와요.</u> → _____
　　　　　早く

(2) 35페이지를 <u>읽어요.</u> → _____
　　　　ページ

(3) 선물을 <u>받아요.</u> → _____
　　プレゼント

(4) 여기에 학년과 이름을 <u>써요.</u> → _____
　　ここ　　学年と

(5) 손님, 여기서 <u>기다려요.</u> → _____

(6) 할머니, 이 과자 맛있어요. 좀 <u>먹어요.</u> → _____
　　おばあちゃん

1 次の文章は先生の一日です。下線部を敬語表現に直してみましょう。

선생님은 매일 7시에 <u>일어나요.</u> 아침에는 커피를 한 잔 <u>마셔요.</u>
(보기) (일어나세요)   ①(   )

그 다음에 외출 준비를 하고 학교에 가요. 선생님은 영어를 <u>가르쳐요.</u>
その次   外出   準備   ②(   )   ③(   )

수업이 끝나고 축구부의 감독을 <u>해요.</u>   7시 정도에 집에서 저녁을 <u>먹어요.</u>
               ④(   )   ⑤(   )

그리고 좀 <u>쉬어요.</u> 그 다음에 수업 준비를 하시고 <u>자요.</u>
      ⑥(   )   ⑦(   )

2 先生と学生になって会話をしましょう。学生は「-(으)세요?」で質問し、先生は「-아/어요」で
答えましょう。

	학생 〈質問〉	선생님 〈答え〉
(보기) 일어나다	Q : 매일 몇 시에 <u>일어나세요?</u>	A : 6시에 일어나요.
(1) 보다	Q : 드라마를 자주 _____?	A :
(2) 자다	Q : 보통 몇 시에 _____?	A :
(3) 있다	Q : 오늘 약속이 _____?	A :
(4) 바쁘다	Q : 요즘 _____?	A :
(5) 멀다	Q : 집에서 학교까지 _____?	A :
	から	
(6) 좋아하다	Q : 고양이를 _____?	A :

教室活動はp.124 →

인스타에 올려도 돼요?

インスタにアップしてもいいですか。

리사   윤호 오빠, 이 군인은 누구예요?

윤호   우리 형이야.

리사   와, 멋있네요. 사진 찍어도 돼요?

윤호   응, 찍어도 돼.

리사   근데, 이거 제 인스타에 올려도 돼요?

윤호   인스타에? 그건 형한테 한번 물어볼게. 미안해.

単語 & 表現

- 군인 軍人
- 멋있네요 格好いいですね。基本形「멋있다」
- 근데 ところで。話題を変えるとき使う。
  「그런데」の縮約形
- 인스타 (그램) インスタグラム
- 올리다 アップする、上げる
  例) 유튜브에 올리다

- -한테 助詞「(人) に」、主に話しことばで使う。
  書きことばでは「-에게」
- 물어보다 聞いてみる
- 미안해 ごめんね。目上の人には「죄송해요/
  죄송합니다」を使う

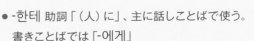

1 〜してもいいです（か）

-아/어도 돼요 (?)

- ・許可表現
- ・何かを試してみたいときは「**-아/어 보다**（〜してみる）」を用いて「**-아/어 봐도 돼요?**（してみてもいいですか）」を使う。
- ・パンマルは、「**-아/어도 돼**（?）」

活用：語幹の母音が「ㅏ,ㅗ」→「**-아도 돼요**」/「ㅏ,ㅗ」以外→「**-어도 돼요**」を付ける。

앉다	**앉아도 돼요?**	（座ってもいいですか）
읽다	**읽어도 돼요?**	（読んでもいいですか）
입어 보다	**입어 봐도 돼요?**	（着てみてもいいですか）

〈「**-아/어도 돼요?**」に対する答え〉

■ 許可するとき

　　　「**-아/어도 돼요**（〜してもいいです）」または「**- (으) 세요**（どうぞ）」

例） A: 사진 봐도 돼요?　　　　　　（写真見てもいいですか。）

　　 B: 네, 봐도 돼요. (はい、見てもいいですよ。) / 보세요.　（どうぞ。）

　　 A: 이거 입어 봐도 돼요?　　　　（これ着てみてもいいですか。）

　　 B: 물론이에요. 입어 보세요.　　（もちろんです。どうぞ。）

■ 許可しないとき

　　　「**안 돼요**（だめです）」または、「許可できない**理由**や**事情**」を述べる。

例） A: 이따가 전화해도 돼?　　　　（後で電話してもいいですか。）

　　 B: 미안해요. 오늘은 바빠요.　　（ごめんなさい。今日は忙しいです。）

　　 A: 이거 읽어도 돼?　　　　　　（これ読んでもいい?）

　　 B: 안 돼. 이거 내 일기장이야.　（だめ、これ僕の日記だよ。）

안 돼

1 次の動詞を「**-아/어도 돼요? 네, -(으)세요**」表現にしてみましょう。

	-아/어도 돼요? （～してもいいですか）	-(으)세요 （はい、どうぞ）
（보기）　읽다 （読む）	읽어도 돼요?	네, 읽으세요
(1) 먹다 （食べる）		네,
(2) 받다 （もらう）		네,
(3) 말하다 （言う）		네, 말씀하세요.* おっしゃってください
(4) 쉬다 （休む）		네,
(5) 듣다 （聴く）		네,
(6) 신어 보다 　　（履いてみる）		네,

＊「말」の敬語は「말씀」

2 次の文を「**-아/어도 돼요?**」表現にしてみましょう 。

> （보기）　10분만 (쉬다)　<u>쉬어도 돼요?</u> ― 네, 쉬세요.
> 　　　　だけ

(1) 모임에 같이 (가다)　_____ ― 네, 같이 가요.
　　集まり

(2) 이 선물 제가 (받다)　_____ ― 네, 열어 보세요.
　　　　　　　　　　　　　　　　　　　　　　開けて

(3) 다른 친구한테 (말하다)　_____ ― 안 돼요, 비밀이에요.
　　他の　　　　　　　　　　　　　　　　　　　　　　　　　　秘密

(4) 만화책을 (읽다)　_____ ― 이따가 읽으세요.

(5) 토요일에 일이 생겼어요. 일요일에 (만나다)　_____ ― 좋아요.
　　　　　　用事ができました

(6) 나이가 같네요. 말을 (놓다)　_____ ― 네, 놓으세요.
　　　　　　　　パンマルにする

1 絵を見て質問に適切に答えてみましょう。

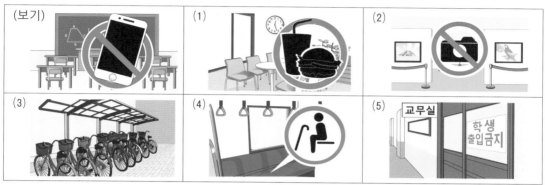

*출입금지（立入り禁止）

（보기）　A: 학교에서 휴대폰을 써도 돼요?　　B: <u>아뇨, 안 돼요.</u>
携帯電話

(1) A: 여기에서 밥을 먹어도 돼요?　— B: _____

(2) A: 여기에서 사진을 찍어도 돼요?　— B: _____

(3) A: 여기에 자전거를 세워도 돼요?　— B: _____
　　 自転車　　 止めても

(4) A: 고등학생이 여기 앉아도 돼요?　— B: _____

(5) A: 학생이 교무실에 들어가도 돼요? — B: _____
　　 教務室　　　 入っても

2 買い物のときによく使う「**-아/어 봐도 돼요?**」表現を覚えましょう。

（보기）（바지 / 입다）　이 바지 입어 봐도 돼요?
　　　 スボン　 履く

(1) （모자 / 쓰다）　이 _____ ?
　　 帽子　 かぶる

(2) （가방 / 들다）　_____ ?
　　　　 持つ

(3) （신발 / 신다）　_____ ?

(4) （귀걸이 / 하다）　_____ ?
　　 イヤリング

(5) （안경 / 쓰다）　_____ ?
　　 めがね　 かける

教室活動はp.125

101

제16과 제가 좋아하는 배우예요.

私が好きな俳優です。

유토　이 사람은 누구야?

수민　제가 좋아하는 배우예요.

유토　멋있다! 어디에 나오는 배우야?

수민　지금 수목 드라마에 나와요. 요즘 제일 바쁜 배우예요.

유토　어! 오늘 하는 날이네?

수민　꼭 보세요! 외모도 멋있지만 연기도 잘하는 배우예요.

単語 & 表現

- ● 누구야?　誰なの?
- ● 좋아하는 배우　好きな俳優
- ● 나오는　出演する〜、出ている〜。基本形「나오다」
- ● 수목 드라마　水曜と木曜に放送するドラマ
- ● 바쁜　忙しい〜。基本形「바쁘다」

- ● 하는 날이네?　（放送を)する日だね?
- ● 외모　外見、ルックス
- ● 연기　演技
- ● 잘하는　上手な〜。基本形「잘하다」

1 動詞の現在連体形

-는（＋名詞）

・名詞を修飾する動詞の現在連体形。

活用：語尾「**다**」を取って「**-는**」を付けるだけ！「**ㄹ**」パッチムは脱落。

例）가다（行く）　→　매일 가는 학교　　（毎日行く学校）
　　읽다（読む）　→　요즘 읽는 책　　　（最近読んでいる本）
　　놀다（遊ぶ）　→　자주 노는 친구　　（よく遊んでいる友達）

＊一般的な事柄についても使える。

> 決まり文句で覚えよう！

「-는 방법（〜する方法）**」「-는 곳**（〜する所）**」「-는 것**（〜すること）**」**

例）만들다（作る）　→　케이크를 만드는 방법　　　　（ケーキの作り方）
　　타다（乗る）　　→　버스 타는 곳　　　　　　　（バス乗り場）
　　그리다（描く）　→　취미는 만화를 그리는 것입니다.　（趣味は漫画を描くことです）

2 形容詞の現在連体形

-(으)ㄴ（＋名詞）

・名詞を修飾する形容詞の現在連体形。

活用 ❶ 語幹の最後にパッチムあり→「**-은**」
　　　　　　　　　　　　　なし→「**-ㄴ**」
　　❷「**ㄹ**」パッチムは脱落
　　❸ ただし、「**있다・없다**」が付く形容詞は「**-는**」

> 내가 좋아하는
> 아이돌~
> 예쁜 가수~

例）좋다（いい）　　　→　좋은 친구　　　　（いい友達）
　　예쁘다（かわいい）→　예쁜 옷　　　　　（かわいい服）
　　멀다（遠い）　　　→　집에서 먼 학교　　（家から遠い学校）
　　재미있다（面白い）→　재미있는 드라마　（面白いドラマ）
　　맛없다（まずい）　→　맛없는 과자　　　（まずいお菓子）

1 次の動詞・形容詞を現在連体形にしてみましょう。

動詞		形容詞	
(보기) 가다 (行く)	가는	(보기) 바쁘다 (忙しい)	바쁜
(1) 보다 (見る)		(1) 좋다 (良い)	
(2) 읽다 (読む)		(2) 기쁘다 (うれしい)	
(3) 먹다 (食べる)		(3) 많다 (多い)	
(4) 좋아하다 (好きだ、好む)		(4) 싸다 (安い)	
(5) 타다 (乗る)		(5) 맛있다 (おいしい)	
(6) 쓰다 (使う、書く)		(6) 재미없다 (面白くない)	
(7) 살다 (住む、暮らす)		(7) 멀다 (遠い)	
(8) 놀다 (遊ぶ)		(8) 유명하다 (有名だ)	
(9) 공부하다 (勉強する)		(9) 배고프다 (お腹が空く)	
(10) 청소하다 (掃除する)		(10) 조용하다 (静かだ)	

2 (보기)のように現在連体形を使って一文にしてみましょう。

> (보기) 제가 매일 먹다 / 빵이에요. → 제가 매일 먹는 빵이에요.

(1) 요즘 공부하다 / 과목이에요. → 요즘 _____
　　　　　　科目

(2) 이 사람은 유명하다 / 수영 선수예요. → 이 사람은 _____
　　　　　　　　　　水泳

(3) 제가 지금 살다 / 곳이에요. → 제가 지금 _____
　　　　　　　　ところ

(4) 아주 맛있다 / 호떡이에요. → 아주 _____
　　　　　　　ホットク

(5) 정말 기쁘다 / 소식이네요. → 정말 _____
　　　　　　　お知らせ

(6) 버스를 타다 / 곳이 여기예요? → 버스를 _____
　　バス

1 次はみんなのインスタグラムの画面です。#ハッシュタグを付けてみましょう。
ハッシュタグに使う単語を選び、①～③に連体形の形で書き入れましょう！

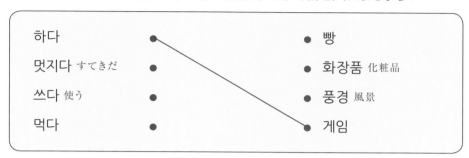

하다   빵

멋지다 すてきだ   화장품 化粧品

쓰다 使う   풍경 風景

먹다   게임

(보기) 유토의 인스타그램

#요즘 <u>하는</u> 게임
#재미있다

---

(1) 리사의 인스타그램

#매일 ① _____
#진짜 맛있다.
#강추
　　強くおすすめ

---

(2) 윤호의 인스타그램

#수학여행 때 사진
#한라산
　　ハルラ山　※済州島にある
#② _____
#힐링

---

(3) 수민의 인스타그램

#데일리 메이크업
　デイリー　メイクアップ

#꿀템
　　非常にいいアイテム

#자주③ _____

★나의 인스타그램★

> 自分のマイブームについて
> タグを付けてみましょう！

教室活動はp.126 ➡

REVIEW

〈今まで学んだ内容を振り返ってみましょう。〉

■ 次の日本語は韓国語に、韓国語は日本語にしてみましょう。

(1) 그건　　　（　　　　　）　　(2) 정말　　　　（　　　　　）

(3) 왜요?　　　（　　　　　）　　(4) 얼마예요?　（　　　　　）

(5) 誰　　　　（　　　　　）　　(6) 歌詞　　　　（　　　　　）

(7) 検索する　（　　　　　）　　(8) どうでしたか　（　　　　　）

■ 次のかっこに入る助詞を選び、適切な形で書いてみましょう。

> 이/가　　을/를　　에　　(으)로　　에서　　(이)랑　　부터

(9)　학교 앞(　　　　)　편의점이 있습니다.

(10) 저는 아이돌(　　　　)　되고 싶어요.

(11) 친구하고 주로 어디(　　　　)　놀아요?

(12) 저는 음악(　　　　)　좋아해요.

(13) 어제 저는 동생(　　　　)　게임을 했어요.

(14) 학교 수업은 몇 시(　　　　)　예요?

(15) 이건 한국어(　　　　)　어떻게 말해요?

■ 次のかっこに入る文型を選び、適切な形で書いてみましょう。

> -고　-지만　-아/어요　-는　-(으)ㄴ　-아/어 주세요　-(으)ㄹ래요?　-아/어도 돼요?

(16) 어제는 친구하고 영화도 (보다)　저녁도 먹었어요.　→＿＿＿＿＿＿

(17) 다음 주에 같이 콘서트 (가다) ?　→＿＿＿＿＿＿

(18) 김밥 하나만 (포장하다)　-네, 알겠습니다. →＿＿＿＿＿＿

(19) 저는 매일 음악을 (듣다)　→＿＿＿＿＿＿

(20) 오빠는 키가 (크다) 저는 키가 작습니다. →＿＿＿＿＿＿

(21) 이 동영상을 유튜브에 (올리다) - 네, 올리세요. →＿＿＿＿＿＿

(22) 날씨가 (좋다)　날에는 공원에서 (산책하다)　사람들이 많습니다.

　　　→＿＿＿＿＿＿ / ＿＿＿＿＿＿

■ 下線部をかっこで示した形に直してみましょう。

(23) 주말에는 한국어를 공부합니다. （→否定形に） _____

(24) 여기는 한 달에 한 번 오다. （→「아/어요」表現に） _____

(25) 학교는 8시 25분까지입니다. （→ハングルで表記） _____

(26) 어제는 집에서 청소를 해요. （→過去形に） _____

(27) 지금 어디예요? — 집이에요. （→パンマルに） _____

(28) 선생님은 지금 교무실에 있어요? （→敬語に） _____

■ 次の質問に自分の話を適切に書いてみましょう。

(29) Q：좋아하는 음식이 뭐예요?　　A：_____

(30) Q：나이가 어떻게 되세요?　　A：_____

(31) Q：주말에 보통 뭐 해요?

　　　A：_____

■ 初めて会う韓国人に自己紹介をしてみましょう。（4文以上）

self-introduction

수고하셨습니다.
お疲れ様でした。

韓国の伝統遊び
「윷놀이(ユンノリ)」をしてみましょう！

　윷(ユッ)をサイコロのように使い、自分のチームのコマ4つを先にゴールさせたチームの勝利！2対2 や4対4 など、チーム戦にするとより楽しいです。

준비물（用意するもの）

　윷 (ユッ) , 말(コマ：チームで4個ずつ), 말판(ボード), 담요 또는 신문지 여러 장(ユッを投げるための敷物)

◆ コマの進め方

도	개	걸	윷	모
裏面1つ	裏面2つ	裏面3つ	裏面4つ	表面4つ
コマを1歩進める	コマを2歩進める	コマを3歩進める	コマを4歩進める＋もう一回投げられる	コマを5歩進める＋もう一回投げられる

・백 도(backド)：
　　×表示のある裏面1つ→コマを1歩後ろに戻す。

◆ ボードでの動かし方

・コマは角からスタート（●）して→の方向に進みます。
　大きい●に止まると、ショートカットルートを進んで最短でゴールできます！！
　1回で動かせるコマは1個のみですが、何を動かすかは自由です。

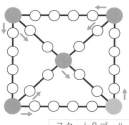

スタート＆ゴール

・コマを合体させ、一緒に進むこともできます：例えば、1回目に
　「개（ゲ）」が出て2歩進んだとして、2回目にゲが出たら、先のコマを2歩進めてもいいし、新しいコマを先のコマに乗せて、それ以降は一緒に進めてもいいです。ただし、1回合体させたら最後まで一緒に動かさなければなりません。

・相手のコマを取り、再出発させることができます：相手チームのコマがあるところに止まった時、相手チームのコマは出発点に戻らなければなりません。相手チームのコマを積極的に取る、相手チームにコマを取られないように逃げるのも勝つためのポイントです！

　　・チームで作戦会議をしてコマを効率良く動かしましょう。
　　・投げる度に、出た結果を（도、개、걸、윷、모）で言いましょう！！
　　・윷(ユッ)がない時は割り箸4つで作れます。

Part3

楽しい教室活動

ネームプレート作り

■ ネームプレートを作り、ペアで自己紹介をしてみましょう。

（1）〈ネームプレート作り〉
自分の名前をハングルで書いてみましょう。（p.36日本語のハングル表記参照）

〈보기〉　　　　　　　　　　　　　　　　〈私の名前〉

ex） **간자키 유토**
Kanzaki Yuto

（2）〈ペアで活動〉
ネームプレートを見せながら自己紹介をしてみましょう。

토랑이

①이름:　　　　　　②취미:　　　　　　③좋아하는 사람:

안녕하세요!
①제 이름은 _____ 입니다.
②취미는 _____ 예요/이에요.
③좋아하는 사람은 _____ 예요/ 이에요.
만나서 반갑습니다.

趣味に関する語彙

● 음악 감상 (音楽鑑賞)　● 스포츠 관전 (スポーツ観戦)　● 독서 (読書)
● 게임 (ゲーム)　● 유튜브시청 (ユーチューブ視聴)　● 애니메이션 감상 (アニメ鑑賞)
● 운동 (運動)　● 만화 그리기 (漫画を描くこと)　● 베이킹 (ベーキング)　● 인터넷 하기 (ネットをすること)

同じ血液型を探そう！

■ 友達の血液型を聞いてみましょう。

(1) まず、自分の血液型を言ってみましょう。

> 저는 _____형이에요!

(2) 自分と同じ血液型の友達を5人探してみましょう！
自分と同じ血液型だと思われる友達に質問してみてください。

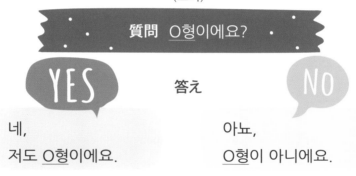

(보기)

質問 O형이에요?

YES   答え   NO

네,
저도 O형이에요.

아뇨,
O형이 아니에요.

(3) 「YES（네）」と答えた友達の名前をハングルで書いてみましょう。

修学旅行の話

■ 次はりさの修学旅行の話です。イラストを見ながら友達と話してみましょう。

명동/쇼핑하다
ショッピングする

경복궁/한복을 입다
チマチョゴリを着る

인사동/미술관에서 그림을 보다
美術館　絵

N 서울 타워/사진을 찍다
タワー 写真を撮る

| 인절미 빙수 | 삼계탕 | 떡볶이 | 치즈 핫도그 |

Q1 리사는 어디에 갑니까?

A1 ___명동에 갑니다.___　　A2 _____

A3 _____　　A4 _____

Q2 리사는 거기에서 뭐 합니까?

A1 ___쇼핑을 합니다.___　　A2 _____

A3 _____　　A4 _____

Q3 리사는 서울에서 뭐 먹습니까?

A1 ___인절미 빙수를 먹습니다.___　　A2 _____

A3 _____　　A4 _____

ビンゴゲーム

■ 教室にあるものや、学校の部活を選んで話してみましょう。

机
椅子
책상
의자
칠판 黒板
사물함 ロッカー
에어컨
エアコン
분필 チョーク

Q1 교실 (教室) 안에는 뭐가 있어요?

교실 안에는 _____ 하고 _____ 하고 _____ 이/가 있어요.

Q2 우리 학교에는 어떤 동아리 (サークル) , 부활동 (部活) 이 있어요?

우리 학교에는 _____ 하고 _____ 하고 _____ 이/가 있어요.

농구부　　테니스부　　댄스부　　만화부　　합창부　　다도부
バスケットボール　　　　ダンス　　漫画　　合唱　　茶道

■ 教室にあるものまたは部活をテーマにし、9つを書き入れて、ビンゴゲームをしましょう。

빙고!

友達にインタビューしよう！

■ 友達の生活について質問し答えをまとめてみましょう。

(1) まず、(보기)のユンホとのやり取りと、まとめた内容を確認してから、友達に質問してみましょう。

質問

Q1 매일 학교에 가요?
　　毎日

Q5 무슨 요일에 쉬어요?
　　何曜日

Q2 학교에서 급식을 먹어요?
　　　　　給食

Q6 드라마를 봐요?
　　ドラマ

Q3 부활동을 해요?

Q7 연예인을 좋아해요?

Q4 학원에 다녀요?
　　　　通いますか

Q8 주말에는 뭐 해요?

 私の友達の答え

友達の答えを簡単にメモしておきましょう。
日本語でもかまいません。

名前：

 (보기) 윤호의 답え

A1 네, 매일 가요.

A2 아뇨, 도시락을 먹어요.
　　　　弁当

A3 네, 축구부예요.

A4 네, 다녀요.

A5 일요일에 쉬어요.

A6 네, 자주 봐요.

A7 트와이스를 좋아해요.

A8 주로 게임을 해요.

A1 _____

A2 _____

A3 _____

A4 _____

A5 _____

A6 _____

A7 _____

A8 _____

(2) 友達に聞いた答えをまとめて書いてみましょう。

 (보기) 윤호에 대해서

제 친구 윤호는 고등학생이에요. 매일 학교에 가요. 학교에서는
급식을 안 먹어요. 도시락을 먹어요. 윤호는 축구부예요. 그리고
학원에 다녀요. 윤호는 드라마를 자주 봐요. 그리고 트와이스를
좋아해요. 주말에는 주로 게임을 해요.

私の友達 [   ] について

제 친구＿＿＿＿＿＿＿＿＿＿＿＿＿＿＿＿＿＿ 요. ＿＿＿＿＿＿＿

＿＿＿＿＿＿＿＿＿＿＿＿＿＿＿＿＿＿＿＿＿＿＿＿＿＿＿＿＿＿＿

＿＿＿＿＿＿＿＿＿＿＿＿＿＿＿＿＿＿＿＿＿＿＿＿＿＿＿＿＿＿＿

＿＿＿＿＿＿＿＿＿＿＿＿＿＿＿＿＿＿＿＿＿＿＿＿＿＿＿＿＿＿＿

＿＿＿＿＿＿＿＿＿＿＿＿＿＿＿＿＿＿＿＿＿＿＿＿＿＿＿＿＿＿＿

ハングルスタンプ作り

■ ハングルを使ってスタンプを作ってみましょう。

〈スタンプの例〉

〈SNSで使うハングルスタンプを3個以上作ってみましょう！〉

〈参考〉
- 안녕 (こんにちは)
- 고마워 (ありがとう)
- 굿모닝 (Good morning)
- 잘 먹겠습니다 (いただきます)
- 잘 먹었습니다 (ごちそうさまでした)
- 꿀잼 (とても面白い)
- 고고씽 (GO!GO!)
- 열공 (「熱心に勉強」の縮約)
- 기대기대 (楽しみ)
- ㅋㅋㅋㅋ (wwww)

내 스탬프 〈私のスタンプ〉

数字ゲーム

■ ベスキンラビンス31&3・6・9ゲーム

次のゲームは修学旅行、合宿、レクリエーションなどで、大人数で楽しめる数字ゲームです。みんなで楽しくやってみましょう。

(1) 베스킨라빈스 게임 （サーティワンゲーム）

ゲーム方法　グループで順番を決め、1から順番に数字を言っていきます。一人は1つから3つまでの数字を言うことができます。最後に31を言った人が負けとなります。

例)

일, 이!

삼, 사, 오!

육!

칠, 팔, 구!

이십팔!

이십구! 삼십!

삼십일…

あっ！
負けちゃった！

1 일	2 이	3 삼	4 사	5 오	6 육	7 칠	8 팔	9 구	10 십
11 십일	12 십이	13 십삼	14 십사	15 십오	16 십육	17 십칠	18 십팔	19 십구	20 이십
21 이십일	22 이십이	23 이십삼	24 이십사	25 이십오	26 이십육	27 이십칠	28 이십팔	29 이십구	30 삼십

31 삼십일　負け！

(2) 삼, 육, 구 (3·6·9) 게임

ゲーム方法　グループで順番を決めて1から順に数字を言っていきます。3・6・9が入る数字の時は、数字を言う代わりに拍手をします。また、3の倍数の時も拍手をします。数字を言うところで拍手をしたり、拍手をするところで数字を言ったりすると負けです。まず40までを目指してやってみましょう！

일 이 👏 사 오 👏 칠 팔 👏 십 십일 👏 십사 👏 👏 십칠 👏 👏 이십 👏 이십이
　　　(3)　　　(6)　　　(9)　　　(12)(13)　　(15)(16)　　(18)(19)　　(21)

👏 👏 이십오 👏 👏 이십팔 👏 👏 👏 👏 👏 👏 👏 👏 👏 👏 👏 사십
(23)(24)　　(26)(27)　　(29)(30)(31)(32)(33)(34)(35)(36)(37)(38)(39)

사십일 ……

昔何がはやった？

■ 韓国と日本で昔何がはやったのかについて話してみましょう。

★한국 （韓国）

한국에서는 90년대에 다마고치가 유행했어요.
　　　　　　　年代　　　　　　　　　　はやりました

90년대에
곱창머리끈이
유행했어요!

곱창머리끈
シュシュ

2000년대에
깻잎머리가
유행했어요!

깻잎머리
えごまの形の髪型

뿔테안경
フレームが厚いメガネ

짱!
最高

다마고치
たまごっち

스키니진
スキニージーンズ

★일본 （日本）

日本ではいつ、何がはやりましたか？グループで調べて発表してみましょう。

Q　일본은 뭐가 유행했어요?
A　_____에　_____이/가 유행했어요!

·패션 (ファッション)：

·헤어스타일 (ヘアスタイル)：

·놀이 (遊び)：

·메이크업 (メイク)：

·유행어 (流行語)：

おススメの曲は？

■ 最近聞いているおススメの曲を紹介しましょう！

次の表現を使い、友達と会話の練習をしましょう。まず、ペアを組んで、AさんとBさんを決めましょう。

- 등하교할 때 (登下校の時)
- 기분이 좋을 때 (気分がいい時)
- 기분이 우울할 때 (落ち込んだ時)
- 공부할 때 (勉強する時)

강추예요
強くお勧め

꼭 들어보세요
ぜひ聞いてみてください

A : 등하교할 때 뭐 들어요?

B : 등하교할 때 ＿＿＿＿＿＿＿ 노래 들어요.

A : 그 노래는 어때요?

B : 이 노래는 가사가 좋아요.

- 이 노래는 가사가 좋아요! (この歌は歌詞がいいです)
- 이 노래는 멜로디가 좋아요! (この歌はメロディーがいいです)
- 이 곡은 신나요! (この曲は盛り上がります)
- 이 곡은 춤이 멋있어요! (この曲はダンスが格好いいです)

韓国の伝統遊び

■「**제기차기**（チェギ蹴り）」をやってみましょう！

＊「제기차기（チェギ蹴り）」とは？：제기（チェギ）を地面に落とさず何回蹴れるかを競う伝統遊びです。昔は球を蹴る遊びだったのが、朝鮮時代に小銭と紙でチェギを作って蹴る形に定着したようです。主にお正月の遊びとして伝わっています。最近ではお正月やお盆のバラエティー番組でゲームとしてすることが多いです。

(1) まずは、チェギ作りから！

준비물（用意するもの）

비닐봉지 한 장（ビニール袋1枚）, 가위（はさみ）, 고무줄（輪ゴム）, 십 엔 두개（10円玉2個）

①ビニール袋を広げ、真ん中を残し、両側を細かく切ります。
②ビニールの端に10円玉2枚を重ねて置きます。
③10円玉を入れたままビニールをぐるぐる巻きます。
④10円玉で包まれたところを輪ゴムで止めます。
　羽の部分をこすって、蹴る時によく飛ぶようにします。

(2) 自分で作ったMYチェギで練習しましょう！何回蹴ったか数えてみましょう。
　하나! 둘! 셋! 넷! 다섯! 여섯! 일곱! 여덟! 아홉! 열!
　열하나! 열둘! 열셋! 열넷! 열다섯! 열여섯! 열일곱! 열여덟! 열아홉! 스물!

　몇 번 찼어요?（何回蹴りましたか）　自己ベスト＿＿＿＿＿回　저는 다섯 번 찼어요.

(3) いざ、チーム戦へ！チームのメンバーが蹴った回数を足して1位のチームを決めましょう！

　팀 합계（チームの合計）　＿＿＿＿＿回　우리 팀은 스무 번 찼어요.

第11課

何が違うかな？

■ 次の2つの絵を比較して違うところを探してみましょう。

違うところを探して「-지만」を使い、話してみましょう！ まず、日本語で話してから韓国語に変えてもいいですよ。

楽しい動物園

（보기） 위에는 사자가 있지만 아래는 호랑이가 있어요.

(1) _____

(2) _____

(3) _____

(4) _____

(5) _____

(6) _____

다 찾았어요!
（全部みつけました!）

韓国食堂で注文しよう!

■ 友達と韓国食堂に行って韓国語で話してみましょう。

まず、ペアになって「점원（店員）」と「손님（客）」の役を決めてください。そのあと、色づけされたところを、左右にある表現を参考にして自由に入れ替えて会話してみましょう。

점원 **어서 오세요. 몇 분이세요?**
何名様

손님 **두 명이에요.**

(少し後で)

손님 **여기요!**

> 저기요! (すみません。)
> 주문할게요. (注文します。)

점원 네, 주문하시겠어요?

손님 **냉면 두 그릇하고 옥수수 수염차 두 잔 주세요.**

점원 네, 알겠습니다. 잠시만 기다려 주세요.
少々

〈메뉴〉
냉면 (한 그릇)
치즈 닭갈비 (일 인분)
김밥 (한 줄)
のり巻き (一本)
떡볶이
옥수수 수염차 (한 잔)
とうもろこしのひげ茶
콜라

물수건
おしぼり
반찬
おかず
물

(食事中)

손님 **여기 앞접시 좀 주시겠어요?**
取り皿

그리고 떡볶이 1인분 포장해 주세요.

점원 네, 감사합니다.

> 테이크 아웃할게요
> テイクアウトします

SNSで友達と
約束をしてみよう！

■ (**보기**)のように友達と予定を立ててみましょう。

〈予定〉 영화 , 쇼핑 , 생일파티 , 도서관에서 공부
誕生日パーティー 図書館

(보기)

	11:45　82%

리사야, 이번 주 토요일에
콘서트 같이 갈래?

누구 콘서트?

아이즈원 콘서트

本当
진짜? 갈래! 갈래!
몇 시에 만날래?

스이도바시 역 앞에서
1시 어때?
점심도 같이 먹을래?

그래! 그럼 토요일에 봐!

OK!

丁寧な言葉で質問してみよう！

■ 「-이/가 어떻게 되세요?」を使い、インタビューをしてみましょう。

		〈質問〉	〈相手の答え〉
(보기) 성함 (お名前)		성함이 어떻게 되세요?	간자키 유토입니다.

나이 (年齢) → _____ ? _____

형제 (兄弟) → _____ ? _____

취미 (趣味) → _____ ? _____

혈액형 (血液型) → _____ ? _____

키 (身長) → _____ ? _____

● 相手の答えをまとめて書いてみましょう。

(보기) 간자키 유토 씨는 스무 살입니다. 형제는 형과 여동생이 있습니다. 취미는 …

_____

_____

_____

_____

SNSでよく使う許可表現

■ SNSで使ってみよう!

(보기) のように、左側と右側の表現を自由に選び、「-아/어도 돼요?」を使ってSNSで
使える表現にしてみましょう。

- 팔로우 (フォロー)
- 친구
- 프렌드 (フレンド)
- 사진 (写真)
- 동영상 (動画)
- 멘션 (メンション)
- 디엠 (DM：ダイレクトメッセージ)

- 신청하다 (申請する)
- 업로드하다 (アップロードする)
- 하다
- 다운로드하다 (ダウンロードする)
- 퍼가다 (シェアする)
- 저장하다 (保存する)
- 보내다 (送る)

(보기) **팔로우 해도 돼요?** (フォローしてもいいですか)

_____

_____

_____

_____

_____

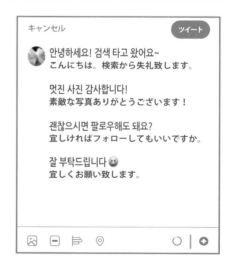

キャンセル　　　　　　　　　ツイート

안녕하세요! 검색 타고 왔어요~
こんにちは。検索から失礼致します。

멋진 사진 감사합니다!
素敵な写真ありがとうございます!

괜찮으시면 팔로우해도 돼요?
宜しければフォローしてもいいですか。

잘 부탁드립니다 😣
宜しくお願い致します。

SNSで韓国の友達を作って
みようっと!

友達の好みを見つけよう！

■ 友達が好きなもの、好きなことについてインタビューしてみましょう。

次の質問をランダムに選んで質問し、自分と一致する項目には○をつけてみましょう。

（例）좋아하는 음식이 뭐예요?　좋아하는 음식은 치킨이에요.

(1) 좋아하는 음료수가 뭐예요?　＿＿＿＿＿＿＿＿＿＿＿＿＿＿＿＿

(2) 좋아하는 운동이 뭐예요?　＿＿＿＿＿＿＿＿＿＿＿＿＿＿＿＿

(3) 좋아하는 과목이 뭐예요?　＿＿＿＿＿＿＿＿＿＿＿＿＿＿＿＿

(4) 좋아하는 연예인이 누구예요?　＿＿＿＿＿＿＿＿＿＿＿＿＿＿

(5) 좋아하는 영화가 뭐예요?　＿＿＿＿＿＿＿＿＿＿＿＿＿＿＿＿

(6) 좋아하는 색깔이 뭐예요?　＿＿＿＿＿＿＿＿＿＿＿＿＿＿＿＿

(7) 좋아하는 동물이 뭐예요?　＿＿＿＿＿＿＿＿＿＿＿＿＿＿＿＿

(8) 좋아하는 ＿＿＿＿＿＿＿?　＿＿＿＿＿＿＿＿＿＿＿＿＿＿＿＿

参考

● 음료수 (飲み物)：물 (水)，녹차 (緑茶)，우유 (牛乳)，탄산음료 (炭酸飲料)
● 운동 (運動)：달리기 (走ること)，야구 (野球)，축구 (サッカー)，농구 (バスケットボール)，테니스 (テニス)
● 과목 (科目)：국어 (国語)，수학 (数学)，영어 (英語)，음악 (音楽)，미술 (美術)，체육 (体育)，사회 (社会)
● 색깔 (色)：하얀색 (白)，검은색 (黒)，빨간색 (赤)，노란색 (黄色)，파란색 (青)，초록색 (緑)，분홍색 (ピンク)
● 동물 (動物)：개 (イヌ)，토끼 (ウサギ)，호랑이 (トラ)，팬더 (パンダ)，펭귄 (ペンギン) 부엉이 (フクロウ)

まとめ

- ・本文の日本語訳
- ・発音の変化
- ・助詞のまとめ
- ・文型のまとめ
- ・単語一覧

本文の日本語訳

第1課 （p.38）

スミン：こんにちは。李スミンです。

悠　人：（お会いできて）うれしいです。

スミン：お会いできてうれしいです。

悠　人：私の名前は、神崎悠人です。私は日本人です。

スミン：私は韓国人です。高校生です。

悠　人：私は大学生ユーチューバーです。よろしくお願いします。

第2課 （p.42）

ユンホ：スミンさんは血液型が何ですか。

スミン：何型だと思いますか。

ユンホ：そうですね…。A型？

スミン：いいえ、私はA型ではありません。B型です。

ユンホ：本当ですか。私もB型です。

スミン：あら、私と一緒ですね。

第3課 （p.46）

　私は週末に主に友達に会います。私たちは新大久保によく行きます。そこは韓国食堂とカフェが多いです。食堂では韓国語で注文もします。カフェではミュージックビデオ（MV）も見ます。K-POPグッズもたくさん売っています。とても楽しいです。

第4課 （p.50）

スミン：悠人さん、週末に約束ありますか。

悠　人：実は、週末にソウルに行きます。

スミン：わぁ、いいですね。ソウルのどこへ行きますか。

悠　人：まだわかりません。どんな観光地がありますか。

スミン：仁寺洞があります。明洞と景福宮も有名です。

悠　人：景福宮がソウルにありますか。

第5課 （p.54）

スミン：ユンホさんは普段週末に何をしますか。

ユンホ：土曜日には塾に行きます。

スミン：日曜日は（何をしますか）？

ユンホ：日曜日には友達と遊びます。

スミン：どこで遊びますか。

ユンホ：私の家か友達の家でゲームをします。それが最近の私の癒しです。

第6課 （p.60）

スミン：ユンホさん、ユーチューバーの悠人さんと友達でしょ？

ユンホ：親しいお兄さん（先輩）です。なぜですか。

スミン：私もユーチューバーになりたいです。それで悠人さんに話も聞いて、アドバイスも聞きたいです。

ユンホ：そうですか。ラインIDはなんですか。

スミン：（紙にメモ）これです。ぜひお願いします。

ユンホ：はい、わかりました。

第7課 （p.64）

悠　人：スミンさん、それ誰のCDですか。

スミン：アイズワンの新しいアルバムです。歌が本当にいいです。

悠　人：そうですか。いくらですか。

スミン：このCDは1500円です。特別バージョンは2000円です。

悠　人：後でCDショップに一緒に行きましょう。

スミン：はい、いいですよ。私は特別バージョンも買いたいです。

第8課 （p.68）

悠　人：スミンさん、僕、昨日初めてユンノリをしました。

スミン：ああ！どうでしたか。面白かったですか。

悠　人：はい、思ったよりずっと面白かったです。

スミン：今度ユンホとりもいっしょにやりましょう。

悠　人：いいですね。それをライブで放送しましょうか。

スミン：うーん、私の顔は出ないようにお願いします。

第9課 （p.72）

スミン：悠人さん、何聴いてますか。

悠　人：K-POPです。最近毎日聴きます。

スミン：私もよく聴きます。ストレスには音楽が最高です。

悠　人：その通りです。ストレスを受ける時は、特にこの歌がいいです。

スミン：私も好きです。メロディもいいし、歌詞もきれいです。

悠　人：すごく共感します。

第10課 （p.76）

スミン ： ユンホさん、今何時ですか。

ユンホ ： 今ですか。6時15分です。

スミン ： もうですか?すぐアルバイトの時間です。

ユンホ ： 何時からですか。遅れていませんか。

スミン ： 7時からです。今行けば大丈夫です。

ユンホ ： バイト頑張ってください。ファイト！

第11課 （p.82）

り　さ ： ユンホ兄さん、ヤジャってなんですか。

ユンホ ： 夜間自主学習だよ。授業の後で学校で自習することさ。

り　さ ： 学校でですか。何時までですか。

ユンホ ： 学校によって違うけど、普通夜10時までやるよ。

り　さ ： ええ?すごく遅いです。

ユンホ ： 心配しないで。韓国はヤジャがあるけど、日本はないよ。

第12課 （p.86）

り　さ ： ユンホ兄さん、私が注文しますね。すみません。

店　員 ： はい、注文されますか（お決まりでしょうか）。

り　さ ： トッポッキ2人前とコーラ2つください。それから、ヤンニョムチキン1羽持ち帰りでお願いします。

店　員 ： トッポッキ2人前とコーラ2つ、ヤンニョムチキン1羽はお持ち帰りですね?はい、わかりました。

り　さ ： あ、それから大根たくさんくださいね。

第13課 （p.90）

悠　人 ： スミンさん、明日時間ありますか。

スミン ： はい、2時以降には大丈夫です。どうしてですか（何かありますか）。

悠　人 ： じゃ、明日映画見ましょうか。ポンジュノ監督の映画が公開されました。

スミン ： あ、私もその映画見たかったです。

悠　人 ： よかったです。では、映画を見て一緒に夕飯も食べますか?

スミン ： いいですよ。食堂は私が調べてみますね。

第14課 （p.94）

（洋服店で）

店　員 ： お客様、いらっしゃいませ。何お探しでしょうか。

悠　人 ： Tシャツを探しています。

店　員 ： これが最近のはやりです。いかがでしょうか。

悠　人 ： デザインはいいですね。黒もありますか。

店　員 ： はい、もちろんあります。サイズはおいくつでしょうか。

悠　人 ： Mサイズです。

第15課 （p.98）

り　さ ： ユンホ兄さん、この軍人は誰ですか。

ユンホ ： うちのお兄さんだよ。

り　さ ： わぁ、格好いいですね。写真撮ってもいいですか。

ユンホ ： うん、撮ってもいいよ。

り　さ ： ところで、これ私のインスタにアップしてもいいですか。

ユンホ ： インスタに?それはお兄さんに一度聞いてみるね。ごめんね。

第16課 （p.102）

悠　人 ： この人は誰?

スミン ： 私が好きな俳優です。

悠　人 ： 格好いいね。どこに出ている俳優?

スミン ： 今、水曜と木曜のドラマに出てます。最近もっとも忙しい俳優ですよ。

悠　人 ： あ、今日放送する日だね?

スミン ： ぜひ見てください。外見も格好いいけど、演技も上手な俳優ですよ。

発音の変化

韓国語は表記通りに発音されない場合が多いですが、それなりの規則性があります。
ここでは、基本的な発音の変化を4つ取り上げて説明します。

1 有声音化　　濁るように発音される

「ㄱ, ㄷ, ㅂ, ㅈ」は単語の最初では濁りませんが、母音の次にくるときは濁るように発音されます。

아기 (赤ちゃん)	[アギ]	(○)	[アキ]	(×)
구두 (靴)	[クドゥ]	(○)	[クトゥ]	(×)
부부 (夫婦)	[ブブ]	(○)	[プブ]	(×)
여자 (女性)	[ヨジャ]	(○)	[ヨチャ]	(×)

2 連音化　　パッチムをつなげて発音する

パッチムの次に母音がくる (「ㅇ」が続く) 場合、パッチムの音は「ㅇ」に移動して発音されます。

　例) 일본은 (日本は)　　→　(実際の発音) [일보는]
　　　사람이 (人が)　　→　(実際の発音) [사라미]

＊ ただし、パッチムの「ㅎ」は、ほぼ発音されない。
　例) 좋아해요 (好きです)　→　(実際の発音) [조아해요]

3 鼻音化　　口音が鼻音に変わる

口音のパッチム[ㄱ,ㄷ,ㅂ]の後ろに、鼻音の子音「ㅁ」や「ㄴ」が続くと、[ㄱ,ㄷ,ㅂ]はそれぞれ
鼻音[ㅇ,ㄴ,ㅁ]に変わります。

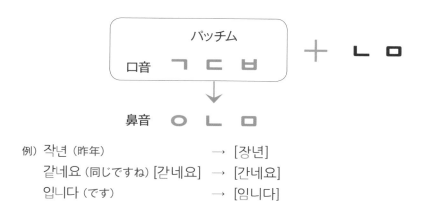

例）작년（昨年）　　　　　　　→［장년］
　　같네요（同じですね）［갇네요］→［간네요］
　　입니다（です）　　　　　　→［임니다］

4 激音化　　音が強くなる

⑴ 口音のパッチム[ㄱ,ㄷ,ㅂ]の後に、「ㅎ」が続くと、[ㄱ,ㄷ,ㅂ]はそれぞれ激音[ㅋ,ㅌ,ㅍ]に
　変わります。

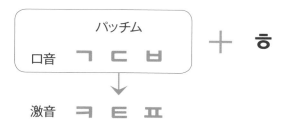

例）부탁해요（お願いします）　→［부타캐요］
　　따뜻해（あたたかい）［따뜯해］→［따뜨태］
　　자습하다（自習する）　　　→［자스파다］

⑵ 「ㅎパッチム」＋[ㄱ,ㄷ,ㅂ,ㅈ]の場合は→それぞれ激音 [ㅋ,ㅌ,ㅍ,ㅊ]になります。
　　例）어떻게（どのように）　　　　→［어떠케］

助詞のまとめ

は	①은/는 ②（目上の人）께서는	한국은 韓国は / 친구는 友達は 선생님께서는 先生は
が	①이/가 ②（目上の人）께서	집이 家が/카페가 カフェが 선생님께서 先生が
を	을/를	게임을 ゲームを/ 비디오를 ビデオを
と	①하고 ②（이）랑 ③와/과	저하고 私と 동생이랑 妹（弟）と/친구랑 友達と 친구와 友達と / 학년과 学年と
も	①도 ②（이）나	저도 B형이에요. 　私もB型です。 한 시간이나 기다렸어요. 　1時間も待ちました。 빵을 다섯 개나 먹었어요? 　パンを5個も食べましたか。
に	①（位置）에 ②（時間）에 ③（人）한테 ④（目上の人）께	책상 위에 있습니다. 　机の上にあります。 주말에 뭐 합니까? 　週末に何しますか。 형한테 물어볼게. 　お兄さんに聞いてみるね。 선생님께 물어요. 　先生に尋ねます。
で	①（場所）에서 ②（手段）（으）로 ＊「ㄹ」パッチム+로	식당에서 먹습니다. 　食堂で食べます。 젓가락으로 먹어요. 　箸で食べます。 한국말로 주문합니다. 　韓国語で注文します。

へ	① (方向) **에** ② (方向) **(으) 로** *「ㄹ」パッチム+로	학교에 갑니다. 　学校へ行きます。 오른쪽으로 가세요. 　右へ行ってください。
から	① (時間) **부터** ② (出発の場所) **에서** ③ (人) **한테 (서)**	7시부터 아르바이트 　7時からアルバイト 집에서 멉니까? 　家から遠いですか。 유토한테 받았어요. 　悠人からもらいました。
まで	**까지**	10시까지 공부해요. 　10時まで勉強します。
の	**의**　発音は [에]	일본의 떡국 　日本のお雑煮
か	(選択) **(이) 나**	우동이나 라면은 어때요? 　うどんかラーメンはどうですか。 영화나 드라마를 봐요. 　映画かドラマを見ます。
だけ	**만**	10분만 잘게요. 　10分だけ寝ますね。
より	**보다**	동생이 저보다 키가 커요. 　妹 (弟) が私より背が高いです。

★日本語と助詞の使い方が違う例。

・친구를 만나요. (友達に会います。)

・음악을 좋아해요. (音楽が好きです。)

・아이돌이 되고 싶어요. (アイドルになりたいです。)

・연기를 잘해요. (演技が上手です。)

ここでは、本書の「文型」や「本文」の中で表現として提示した文型をまとめました。みなさんが、復習をする際に役立てばと思います。

用言の活用を大きく3つのパターンに分け、ここではそれぞれを〈1グループ〉〈2グループ〉〈3グループ〉と名付けて分類しました。名詞に付く文型は別枠にして最後にまとめました。

- 〈1グループ〉は基本形から語尾の「다」を取って付けるもの
- 〈2グループ〉は語幹の最後がパッチム（ㄹパッチムを除く）のときに「으」を付けるもの
- 〈3グループ〉は語幹の最後の母音が「ㅏ,ㅗ」または「ㅏ,ㅗ以外」によって「아／어」を付けるもの
- 〈名詞文の文型〉は、ほぼ名詞の最後のパッチムの有無によって活用する。

*以下の各文型は辞書順（가나다順）にしてあります。

1グループ

動詞や形容詞の基本形から語尾「다」を取って付けます。

① - 고 (列挙：～して , ～し) 第6課

먹다 → 먹고 食べて
예쁘다 → 예쁘고 かわいいし

例) 영화를 보고 카페에 가요. (映画を見てカフェへ行きます。)

② - 고 싶어요 (希望：～したいです) 第6課

가다 → 가고 싶어요 行きたいです
만나다 → 안 만나고 싶어요 会いたくないです

例) 뭘 먹고 싶어요? (何を食べたいですか。)

③ - 고 있어요 (現在進行：～しています) 第14課

공부하다 → 공부하고 있어요 勉強しています

例) 티셔츠를 찾고 있어요. (Tシャツを探しています。)

④ - 게 (副詞：～するように) 第8課

가다 → 가게 行くように

例) 얼굴이 안 나오게 해 주세요. (顔が出ないようにしてください。)

⑤ - 네요 (同感：～ですね) 第2課

좋다 → 좋네요 いいですね

例) 혈액형이 저와 같네요. (血液型が私と同じですね。)

⑥ **- 는**（動詞の現在連体形）第16課

먹다　　→　　먹는　　　食べている〜
다니다　→　　다니는　　通っている〜

例）매일 가는 학교（毎日行く学校）

⑦ **- ㅂ / 습니다**（〜ます、〜です）第3課

가다　　→　　갑니다　　行きます
좋다　　→　　좋습니다　いいです

例）한국말로 주문합니다.（韓国語で注文します。）

⑧ **- 지만**（逆接：〜が、〜けど）第11課

있다　　→　　있지만　　あるけど/いるけど
바쁘다　→　　바쁘지만　忙しいが

例）어제는 바빴지만 오늘은 안 바빠요.（昨日は忙しかったですが、今日は忙しくありません。）

2グループ

動詞と形容詞の語幹の最後のパッチムの有無によって使い分けるもので、パッチムがある場合は「으」を入れ、パッチムがない場合と「ㄹ」パッチムの場合は「으」を入れません。

⑨ **- (으)ㄹ게요**（（私が）〜します）第12課、第13課

가다　　→　　갈게요　　（私が）行きます
받다　　→　　받을게요　（私が）もらいます
만들다　→　　만들게요　（私が）作ります

例）제가 주문할게요.（私が注文します。）

⑩ **- (으)ㄴ**（形容詞の連体形）第16課

예쁘다　→　　예쁜　　　かわいい〜
좋다　　→　　좋은　　　いい〜

例）요즘 제일 바쁜 배우예요.（最近もっとも忙しい俳優です。）

⑪ **- (으)ㄹ 때**（〜するとき）第9課

가다　　→　　갈 때　　行くとき
먹다　　→　　먹을 때　食べるとき

例）스트레스를 받을 때 노래를 들어요.（ストレスを受けるとき歌を聴きます。）

⑫ **- (으)ㄹ래요？ ((これから) ～しますか) 第13課**

보다　→　볼래요?　　見ましょうか
먹다　→　먹을래요?　食べましょうか

例) 같이 게임할래요? (一緒にゲームしましょうか。)

⑬ **- (으)세요 (?)(❶敬語：～される、❷丁寧な指示) 第14課**

① **敬語**

오다　→　오세요?　　いらっしゃいますか
읽다　→　읽으세요?　お読みになりますか
살다　→　사세요?　　住んでいらっしゃいますか

例) 선생님, 어디 가세요? (先生、どこへ行かれますか。)

② **(どうぞ) ～してください**

오다　→　오세요　　いらしてください
받다　→　받으세요　もらってください

例) 여기 앉으세요. (ここに座ってください。)

3グループ

動詞や形容詞の語幹の最後の母音が「ㅏ,ㅗ」の場合には「아」を付け、「ㅏ,ㅗ以外」の場合には「어」を付けます。

⑭ **- 아 / 어 (?)(ため口：～する (?)) 第11課**

가다　→　가?　　行く?
먹다　→　먹어　　食べるよ

例) 오늘 숙제 있어? (今日宿題あるの?)

⑮ **- 아 / 어도 돼요 (?)(許可：～してもいいです (か)) 第15課**

보다　→　봐도 돼요?　見てもいいですか
읽다　→　읽어도 돼요　読んでもいいです

例) 이거 입어 봐도 돼요? (これ着てみてもいいですか。)

⑯ **- 아 / 어요 (?)(～ます、～です) 第5課**

좋다　→　좋아요　　いいです
입다　→　입어요?　着ますか

例) 김치를 잘 먹어요. (キムチをよく食べます。)

⑰ **- 아 / 어 주세요** (依頼 : ～してください) 第12課

닫다 → 닫아 주세요 　閉めてください
찍다 → 찍어 주세요 　撮ってください

例) 떡볶이 하나 <u>포장해 주세요</u>. (トッポッキを一つ持ち帰りでお願いします。)

⑱ **- 아 / 어 주시겠어요 ?** (依頼 : ～していただけますか) 第12課

빌리다 → 빌려 주시겠어요?　貸していただけますか
쓰다 → 써 주시겠어요?　書いていただけますか

例) 사진을 <u>보여 주시겠어요?</u> (写真を見せていただけますか。)

⑲ **- 았 / 었어요** (過去) 第8課

좋다 → 좋았어요 　　　よかったです
먹다 → 먹었어요 　　　食べました

例) 콜라를 <u>마셨어요</u>. (コーラを飲みました。)

名詞文の文型

⑳ **- 이에요 (?) / - 예요 (?)** (～です (か)) 第1課

대학생 → 대학생이에요?　大学生ですか
친구 → 친구예요 　　　友達です

例) 제 친구는 <u>유튜버예요</u>. (私の友達はユーチューバーです。)

㉑ **- 입니다 / - 입니까 ?** (～です / ～ですか) 第1課

가수 　　　→ 가수입니다 　　　歌手です
한국 사람 → 한국 사람입니까? 　韓国人ですか

例) 저는 <u>고등학생입니다</u>. (私は高校生です。)

㉒ **- 이 / 가 아니에요 (?)** (～ではありません (か)) 第1課

대학생 → 대학생이 아니에요 　大学生ではありません
가수 → 가수가 아니에요? 　歌手ではありませんか

例) 저는 <u>한국 사람이 아니에요</u>. (私は韓国人ではありません。)

㉓ **- (이) 요 ?** (聞き返し、相づち : ～ですか) 第2課、第5課，第10課

저 → 저요? 私ですか / 지금 → 지금이요? 今ですか

例) 내일 한국에 가요. (明日韓国へ行きます。) - <u>한국이요?</u> (韓国ですか。)

＊ただし、助詞に付けるときはいつも「**요?**」を付けます。　일요일은요? (日曜日は?)

例) 학교에서 자습해요. (学校で自習します。) - <u>학교에서요?</u> (学校ででですか。)

単語一覧

※本文以外の動詞・形容詞の基本形はp141〜を参照してください。

第1課

안녕하세요	こんにちは
만나서 반가워요	お会いできてうれしいです
제	私の
이름	名前
일본 사람	日本人
저는	私は
한국	韓国
고등학생	高校生
대학생	大学生
유튜버	ユーチューバー
잘 부탁합니다	よろしくお願いします
친구	友達
선생님	先生
취미	趣味
스포츠	スポーツ
축구 관전	サッカー観戦
좋아하는	好きな〜
선수	選手
연예인	芸能人

第2課

-씨	〜さん
혈액형	血液型
뭐예요?	何ですか
무슨 형	何型
같아요?	〜みたいですか
글쎄요	そうですね…
아뇨	いいえ
정말요?	本当ですか
어머	あら
-하고	〜と
같네요	一緒ですね、同じですね
이것도	これも
물	水
그건	それは
스마트폰	スマートフォン
보기	例
동생	弟/妹
저건	あれは
커피	コーヒー
파티시에	パティシエ
배우	俳優
기자	記者
야구	野球
아이돌	アイドル
네	はい

아나운서	アナウンサー
요리	料理
팬	ファン
운동	運動
-의	〜の

第3課

주말에	週末に
주로	主に
친구를 만납니다	友達に会います
우리	私たち
신오쿠보에	新大久保へ
자주	頻繁に
갑니다	行きます
거기	そこ
식당	食堂
카페	カフェ
많습니다	多いです
-에서	〜（場所）で
한국말로	韓国語で
주문도 합니다	注文もします。
뮤직 비디오	ミュージックビデオ
봅니다	見ます
케이팝 굿즈	K-POPグッズ
많이	たくさん
팝니다	売っています
아주	とても
재미있습니다	面白いです。
음악	音楽
남자 친구	ボーイフレンド
카레라이스	カレーライス
버블티	タピオカドリンク
강아지	子犬
고양이	猫
낮잠을 자다	昼寝をする
누가	誰が
내일	明日
누구	誰
어디	どこ
집	家
아침	朝
뭘	何を
제일	最も
맛있습니까?	おいしいですか？

Part 3

쇼핑하다	ショッピングをする
한복을 입다	チマチョゴリを着る

사진을 찍다	写真を撮る
타워	タワー
미술관	美術館
그림	絵

第4課

약속	約束
실은	実は
서울	ソウル
좋겠네요	いいですね
아직	まだ
모르겠어요	わかりません
어떤	どんな
관광지	観光地
인사동	仁寺洞
명동	明洞
경복궁	景福宮
유명합니다	有名です
오늘	今日
수업	授業
아르바이트	アルバイト
이벤트	イベント
연필	鉛筆
물통	水筒
지우개	消しゴム
필통	筆箱
우산	傘
책	本
가방	カバン
지금	今
책상	本棚
형제	兄弟
형	（男からの）兄
여동생	妹
외동딸	一人娘
하지만	でも
지하철역	地下鉄の駅
우체국	郵便局
슈퍼마켓	スーパーマーケット
편의점	コンビニ
약국	薬局
휴지통	ゴミ箱
숙제	宿題
시험	試験

Part 3

의자	椅子
사물함	ロッカー

칠판	黒板	듣고 싶어요	聞きたいです	무슨 날	何の日
분필	チョーク	그래요?	そうですか	크리스마스	クリスマス
에어컨	エアコン	아이디	ID	어린이 날	子供の日
교실	教室	종이	紙	어버이 날	両親の日
동아리	サークル	메모	メモ	언제	いつ
부활동	部活	꼭	ぜひ、必ず	대	対
농구	バスケットボール	좀	ちょっと		
댄스	ダンス	알겠어요	わかりました		

<table>
第8課
</table>

만화	漫画	주스	ジュース	어제	昨日
합창	合奏	한국어	韓国語	처음으로	初めて
다도	茶道	영화	映画	윷놀이	ユンノリ

<table>
第5課
</table>

보통	普段、普通	춤을 추다	踊りを踊る	어땠어요?	どうでしたか
토요일	土曜日	피망	ピーマン	생각보다	思ったより
월화수목금토일	月火水木金土日	바다	海	훨씬	ずっと
학원	塾、学院	모델	モデル	다음에	今度、次に
일요일은요?	日曜は?	미용사	美容師	그걸	それを
놀아요	遊びます	햄버거	ハンバーガー	라이브	ライブ
-이나	～(選択)か	콜라	コーラ	방송할까요?	放送しましょうか
게임을 해요	ゲームをします	치마	スカート	음	うーん
그게	それが	구두	革靴	얼굴	顔
요즘	最近	노래	歌	안 나오게	出ないように
힐링	ヒーリング、癒し	청소	掃除	콘서트	コンサート
수학	数学	연기	演技	회장	会場
영어	英語	유럽	ヨーロッパ	끝나고	終わって
후	後	여행	旅行	끝까지	最後まで
다음 주	来週	오로라	オーロラ	옛날	昔
새로운	新しい	작가	作家	시부야	渋谷
기대됩니다	楽しみです			액션	アクション

<table>
Part 3
</table>

<table>
第7課
</table>

매일	毎日	누구 CD	誰のCD	보면서	見ながら
급식	給食	새	新しい～	팝콘	ポップコーン
다녀요?	通いますか	앨범	アルバム	그런데	ところで
무슨 요일	何曜日	얼마예요?	いくらですか	줄	列
드라마	ドラマ	이	この	너무	すごく
도시락	弁当	엔	円	길었습니다	長かったです
		특별 버전	特別バージョン	한 시간이나	一時間も

<table>
第6課
</table>

-랑	～と	이따가	(今日中の)後で	하면서	しながら
친구죠?	友達でしょ?	가게	ショップ、店	좋은	良い～
친한	親しい～	같이	一緒に	하루	一日
왜요?	なぜですか	가요	行きましょう	아침	朝食
그래서	それで	인절미	きなこもち	이번 주	今週
-한테	～(人)から、に	빙수	かき氷	이번 달	今月
이야기	話	볼펜	ボールペン	어렸을 때	子供のとき
조언	助言、アドバイス	립스틱	リップスティック	꿈	夢

<table>
Part 3
</table>

팬라이트	ペンライト
내	私の
전화번호	電話番号

-년대	年代
유행했어요	はやりました

第9課

들어요?	聴きますか
케이팝이요	K-POPです
스트레스	ストレス
최고	最高
맞아요	その通りです
받을 때	受けるとき
특히	特に
멜로디	メロディー
가사	歌詞
예뻐요	きれいです、かわいいです
공감백배	すごく共感
-씩	～ずつ
키	身長
공원	公園
-보	歩
점심	昼
울었어요	泣きました
웃었어요	笑いました
저녁	夕方
구독자	(You-Tubeの)視聴者
방법	やり方、方法
밤	夜
라면	ラーメン
빵	パン
얼마나	どのくらい
어젯밤	昨夜

Part 3

등하교	登下校
기분	気分、気持ち
가사	歌詞

第10課

몇 시	何時
벌써	もう
곧	すぐ
알바	アルバイト
시간	時間
-부터	～（時間）から
늦었어요?	遅れましたか
가면	行けば
괜찮아요	大丈夫です
힘내세요	頑張ってください
파이팅	ファイト
일어나요	起きます
있을 때	ある時
-들	～達
노래방	カラオケ
일주일에	一週間に

정도	程度
채널	チャンネル
등록자수	登録者数
넘었어요	超えました
기뻐요	うれしいです
한 달에	ひと月に
몇 번	何回
소프트	ソフト

Part 3

찼어요	蹴りました

第11課

오빠	（女性からの）お兄さん
야간	夜間
자율 학습	自習
자습하다	自習する
-하는 거야	～するものなんだよ
-에서요	～でですか?
-마다	～によって
다르지만	違うけど
-까지	～まで
늦어요	遅いです
걱정 마	心配しないで
반	クラス
간식	間食
사회	社会
독후감	読書感想文
핑크색	ピンク色
빨간색	赤色
모레	あさって
쉬는 날	休みの日
의사	医者
용돈	小遣い
거의	ほとんど
자동차	自動車
운전석	運転席
들고 먹다	持って食べる
밥그릇	茶碗

Part 3

사자	ライオン
분수대	噴水
해	太陽
솜사탕	わたあめ
양손	両手
호랑이	トラ
물이 나오다	水が出る
구름	雲
한손	片手

第12課

주문할게요	注文しますね
여기요	すみません（呼びかけ）
점원	店員
주문하시겠어요?	注文されますか
이인분	二人前
두 잔	二杯
양념치킨	味付けした唐揚げ
한 마리	一羽
포장해 주세요	包装してください
포장이요?	持ち帰りですね?
그리고	それから
무	大根
덥습니다	暑いです
지나가는 사람	通行人
짐	荷物
회의실	会議室
들어가고 싶어요	入りたいです
저	あの
가까이서	近くで
자리	席
그릇	食器
수학여행	修学旅行
글씨	文字
틀렸어요	間違いました
창문	窓
지갑	財布
문제	問題

Part 3

몇 분	何名様
잠시만	少々
앞접시	取り皿
물수건	おしぼり
반찬	おかず
김밥 한 줄	のり巻き一本
테이크 아웃	テイクアウト

第13課

이후	以降
그럼	だったら、では
볼래요?	見ますか
봉준호	韓国の映画監督の名前
감독	監督
개봉했어요	公開されました
잘됐네요	よかったです
저녁	夕飯
먹을래요?	食べますか
제가	私が
검색해 볼게요	調べてみますね

수족관	水族館	
케이크	ケーキ	
과자	お菓子	
고마워요	ありがとう	

Part 3

생일파티	誕生日パーティー
도서관	図書館
진짜?	本当?

第14課

옷 가게에서	洋服店で
손님	お客様
어서 오세요	いらっしゃいませ
찾으세요?	お探しでしょうか
티셔츠	Tシャツ
찾고 있어요	探しています
유행	流行、はやり
어떠세요?	いかがでしょうか
디자인	デザイン
검은색	黒色
물론	もちろん
사이즈가 어떻게 되세요?	サイズはおいくつでしょうか
어느	どの
-으로	〜へ
일찍	早く
페이지	ページ
선물	プレゼント、お土産
여기	ここ
학년	学年
과	〜と
할머니	おばあちゃん
그 다음	その次
외출	外出
준비	準備
-에서	〜（場所）から

Part 3

성함	お名前
나이	年齢

第15課

군인	軍人
멋있네요	格好いいですね
근데	ところで
인스타 (그램)	インスタグラム
올리다	アップする、上げる
-한테	〜（人）に
물어보다	聞いてみる
미안해	ごめんね

말씀하세요	おっしゃってください
-만	〜だけ
모임	集まり
열어	開けて
다른	他の
비밀	秘密
일이 생겼어요	用事ができました
말을 놓다	パンマルにする
출입금지	立入り禁止
휴대폰	携帯電話
자전거	自転車
세워도	止めても
교무실	教務室、職員室
들어가도	入っても
바지를 입다	ズボンを履く
모자를 쓰다	帽子をかぶる
귀걸이	イヤリング
안경을 쓰다	めがねをかける

Part 3

동영상	動画

第16課

누구야?	誰なの？
좋아하는 배우	好きな俳優
나오는	出演する〜
수목 드라마	水曜と木曜に放送するドラマ
바쁜	忙しい〜
하는 날이네?	（放送を）する日だね？
외모	外見、ルックス
연기	演技
잘하는	上手な〜
과목	科目
수영	水泳
곳	ところ
호떡	ホットク
소식	お知らせ
버스	バス
화장품	化粧品
풍경	風景
강추	強くおすすめ
한라산	ハルラ山
데일리	デイリー
메이크업	メイクアップ
꿀템	非常にいいアイテム

動詞

가다	行く
가르치다	教える

개봉하다	（映画）公開する
검색하다	検索する
계시다	いらっしゃる
공부하다	勉強する
그리다	描く
기다리다	待つ
끝나다	終わる
나오다	出る
내다	出す
넘다	超える
놀다	遊ぶ
늦다	遅れる
다니다	通う
다운로드하다	ダウンロードする
닫다	閉める
되다	なる
드시다	召し上がる
듣다	聴く
들다	持つ
들어가다	入っていく
마시다	飲む
만나다	会う
만들다	作る
말하다	言う
맞다	合う
먹다	食べる
메일하다	メールする
모르다	知らない
묻다	尋ねる
믿다	信じる
받다	もらう、受ける
방송하다	放送する
배우다	学ぶ
보내다	送る
보다	見る
보이다	見せる、見える
복습하다	復習する
부탁하다	頼む
빌리다	借りる
사귀다	付き合う
사인하다	サインする
산책하다	散歩する
살다	住む
생기다	生じる、起きる
서다	立つ
세우다	（車を）止める
쉬다	休む
신나다	楽しい、楽しくなる
신다	履く

신청하다	申請する
쓰다	書く、使う
앉다	座る
알다	知る
열다	開ける
오다	来る
올리다	アップする
울다	泣く
웃다	笑う
유행하다	流行する
일어나다	起きる
일하다	働く
읽다	読む
입다	着る
자다	寝る
자습하다	自習する
잘하다	上手だ
저장하다	保存する
전화하다	電話する
좋아하다	好きだ、好む
주다	あげる、くれる
주무시다	お休みになる
주문하다	注文する
지나가다	通り過ぎる
찍다	撮る
찾다	探す
청소하다	掃除する
추천하다	推薦する
춤추다	踊る
치우다	片付ける
켜다	(電気)つける
키우다	飼う、育てる
타다	乗る
통역하다	通訳する
틀리다	間違う
팔다	売る
퍼가다	シェアする

形容詞	
간단하다	簡単だ
같다	同じだ
괜찮다	大丈夫だ
기쁘다	うれしい
길다	長い
다르다	異なる、違う
덥다	暑い
많다	多い
맛없다	まずい
맛있다	おいしい

멀다	遠い
멋있다	格好いい
멋지다	すてきだ
바쁘다	忙しい
배(가) 고프다	お腹が空く
슬프다	悲しい
싸다	安い
예쁘다	かわいい
우울하다	憂うつだ
유명하다	有名だ
작다	小さい
재미없다	つまらない
재미있다	おもしろい
조용하다	静かだ
좋다	良い
크다	大きい